KB097100

After 100.
평동

After 100. 평동

발행   2023년 11월 28일
저자   2023학년도 평동중학교 3학년 학생들
펴낸이   한건희
펴낸곳   주식회사 부크크
출판사등록 2014. 07. 15(제2014-16호)
주소   서울특별시 금천구 가산디지털1로 119 A동 305호
전화   1670-8316
E-mail   info@bookk.co.kr
ISBN   979-11-410-5540-0

www.bookk.co.kr

After 100.
평동

평동중학교 3학년 지음

BOOKK

content

007   머리말

1 소설

010   제1화 진화, #루카스 / 이수아, 강찬희

027   제2화 방사선 차폐복 / 김서은, 이승헌

042   제3화 얼스시티 / 장하은, 이양규

050   제4화 포리오 마을의 프레이아 / 권유민, 홍은재

060   제5화 권필상과 두만욱 / 김경민, 전지현

082   제6화 Vesta-1007 / 김서현, 양세종

088   제7화 섞일 수 없는 피 / 정이현, 진선우

094   제8화 실험체 / 장준기, 임서온, 김우정

101   제9화 AI와 Re-Earth 바이러스 / 김태현, 조수빈

114   제10화 지구의 중력 어디로 간 것일까? / 최길우, 나정현

122   제11화 가우디움 / 임지훈, 김승우

139   제12화 영원한 탄생 / 유제린, 이채빈

149   제13화 KKK 외계인들의 침략 / 김하율, 최준영

160   제14화 델타P: 지구인의 모험 / 서윤기, 유수현, 염경아

2 시

168 영원한 기억 / 권유민

169 너를 잊지 않으리 / 김서은

170 5월의 민들레 / 김승우

171 애기나리하다 / 김하율

173 밤하늘 / 서윤기

174 옥잠화의 소망 / 염경아

175 은방울 하나 / 유수현

176 갑과 을 / 유제린

177 패랭이 / 이승헌

178 민들레 / 이양규

179 이건 못 참는다 / 이채빈

180 카네이션 / 임지훈

181 남바람꽃 / 장하은

182 흔들리지 않고 피는 삼백초가 어디 있으랴 / 최준영

183 숲속의 요정 / 홍은재

184 동백꽃 / 강찬희

185   메리골드 / 김경민

186   그날 / 김서현

187   한 꽃잎의 그리움 / 김우정

189   할미꽃 / 김태현

190   작약의 꿈 / 나정현

191   잘 가라 내 사랑 / 양세종

192   명왕성 / 이수아

193   상사화 / 임서온

194   장미 / 장준기

195   젊은 날의 회상 / 전지현

196   삼백초 / 정이현

197   행복의 문 / 조수빈

198   그와 함께 봤던 벌개미취 / 진선우

199   꽃 / 최길우

평 동 중 학 교 교 육 공 동 체 에 게 이 책 을 바 칩 니 다.

이 책은 평동중학교 3학년 학생들이 평동의 들바람을 맞으며 자유로운 상상력을 마음껏 뽐낸 작품입니다. 창작 SF소설들과 들꽃 SF시들로 이루어져 있습니다.

평동은 광주광역시 광산구 남쪽에 위치한 곳입니다. 광주 중심가에서 좀 떨어져 있는 곳. 농가와 평동공단이 있는 특별한 곳입니다. 광활한 대지가 펼쳐진 이곳에서 학생들의 작품은 벌판을 넘어 우주로 향합니다. 평동중학교 학생들의 우주 같은 꿈이 이루어지길 바랍니다. 10년을 넘어 100년 뒤에도 평동중학교의 시절이 행복함이라는 단어로 남았으면 좋겠습니다.

책의 제목을 'After 100. 평동'이라고 지었습니다. 한 여학생의 아이디어로 만들어진 소설의 제목은 SF 요소를 담고 있습니다. 그리고 오랜 시간 뒤에 평동중학교를 졸업한 학생들이 어떤 모습으로 평동에 나타날지 상상하게 만듭니다.

'여러분 어떻게 살아가고 있나요?'

미래의 평동중학교 여러분에게 이 책을 바칩니다.

-국어 교사 고영석-

1

소설

제 1 화   진 화 ,   # 루 카 스

이 수 아 ,   강 찬 희

2350년. 지구온난화를 견디지 못한 지구의 대기권은 점점 얇아져 갔다. 동시에 인류가 소비할 수 있는 산소의 양도 줄어들고 있었다. 하지만 그럼에도 불구하고 과학 기술이라는 생명줄을 얻은 인류의 수는 줄어들지 않고 늘어만 갔다.

"응애. 응애."

2350년 10월 20일, 또 하나의 생명이 태어났다. 담당 의사인 정선은 예방접종을 위해 아이의 신체 구석구석을 검사하고 있었다. Z-ray부터 시작해서 나노로봇을 활용한 장기 검사, 근육 검사까지. 과학기술이 발달한 요즘은 기본과도 같은 검사들이었다. Z-ray 결과로 나온 아이의 DNA 모양과 장기 모습을 본 정선은 놀라 자빠지고 말았다.

"이… 이게 무슨?"

나노로봇이 촬영한 사진에 따르면 아이의 폐가 보편적인 사람의 것보다 절반이나 작다. 정선은 곧바로 뛰쳐나가 아이의 상태를 살펴보러 갔다.

'이렇게 작은 폐를 가지고 태어난 아이는 기형이 분명하다. 곧 죽게 될 거야.'

정선의 예상과는 다르게 아이는 조무사의 품에 안긴 채 태평하게 물을 마시고 있었다. 마치 보통 아이처럼. 결국 정선은 그 자리에서 다리에 힘이 풀려 쓰러지고 말았다. 이후 아이는 건강하게 자랐고 평범한 아이가 되었다. 자신의 폐가 보편적인 사람과 다르다는 것은 모른 채.

    신 교수는 홀로그램 시계를 켰다. 각종 문서들이 줄줄이 와 있었다. 그중에서도 가장 눈에 띄는 건 제목에 '한국대 교수 정선 드림.'이라고 쓰인 문서였다.

    "정선이면 대한민국 의학계 최고 권위자 아닌가?"

    신 교수는 문서를 눌렀다. 의사가 자신한테 글을 쓸 이유가 무엇이 있던가. 몇 줄 읽지도 않았는데 팔뚝에 소름이 돋았다. 신 교수는 제 가슴팍을 문질렀다.

    '인간의 폐가 퇴화된다고?'

    공상과학 소설에나 나올 것 같은 얘기였다. 하지만 문서에 첨부된 사진이나 통계자료들은 그것이 사실이라는 걸 알리고 있었다. 신 교수는 서랍을 뒤졌다. 제 얄팍한 기억상으로는 재작년에 포기했던 우주 탐사 계획서가 이쯤에 있었다. 서랍 두 칸을 다 뒤집고 나서야 신 교수는 계획서를 찾아냈다.

    행성 KL-2816. 지구형 행성인데다가 태양계 바깥에 있는 행성치고 가깝다. 너른 바다도 있어서 인간이 필요로 하는 세 가지 요소 중 벌써 두 개나 충족되는 곳이다. 하지만 산소를 얻을 방법도 없고 너무 대형이라서 포기한 계획이다. 그러나 만일 인간이 현재 산소 없이도 살 수 있도록 폐가 퇴화하고 있다면 우주복 없이 지구에서처럼 생활할 수 있다. 정말 인간이 진화하고 있다면, 인간은 태양계, 아니, 그 이상의 우주로 나아갈 수 있다. 신 교수는 당장 답장 메일을 쓰기 시작했다. 한시라도 빨리 정선을 만나야 했다.

    신 교수는 메일을 보낸 장본인인 정선을 만났다. 차가워 보이는 눈매와 꾀죄죄한 모습. 전형적인 의학 종사자의 모습이었다.

    "아이의 상태는 어떻습니까?"

    "몇 년이 지난 현재도 아이는 건강하게 자라고 있습니다. 하지만 아이의 폐는 계속해서 퇴화하고 있습니다."

신 교수의 물음에 정선은 주머니에서 홀로그램 패널을 꺼내 Z-ray 사진을 보여주었다.

"흠…. 혹시 아이의 부모를 알 수 있을까요? 아이의 폐가 그렇다면 부모도 똑같지 않을까요?"

"아이의 아버지는 루카스 강으로 똑같이 폐가 퇴화하고 있는 게 분명히 보였습니다."

"루카스 강은 그 사실을 알고 있나요?"

"일부러 알리지 않았습니다. 다른 사람과 다르다는 것이 마냥 좋은 것만은 아니니까요."

"알겠습니다. 나중에 또 연락드리겠습니다."

루카스 강은 출근 후 우주복 주문이 얼마나 들어왔는지를 체크하고 있었다. 비록 작은 우주복 가게일 뿐이지만 요즘은 우주 산업이 대세여서 그런지 나름 주문이 들어 오고 있었다.

"이분 또 주문하셨네. 저번에도 몇 벌이나 주문하셨는데…."

"따르르르릉."

'컴플레인인가? 주문은 온라인으로만 받는데.'

루카스 강은 걱정하며 전화기를 집어 들었다.

"여보세요, 루카스 우주복입니다."

"안녕하십니까. 우주항공연구소장 신재열입니다."

"혹시 저희가 납품한 우주복에 문제가 생겼나요?"

"아닙니다, 하나 알려드릴 게 있어 연락드렸습니다."

"네?"

"바로 본론으로 넘어가죠, 당신의 유전자가 진화하여 폐가 퇴화하고 있는 것 같습니다."

루카스 강은 순간 많은 생각이 스쳐 지나갔다. 우주항공연구소장이라는 이 작자의 말을 어떻게 믿지. 내 폐가 퇴화하면 지금 나는 숨을 어떻게 쉬고 있는지. 한순간 머릿속에 폭풍이 찾아드는 것 같았다. 몇 초간의 정적 이후 루카스 강은 가까스로 입을 열었다.

"예? 그…그게 무슨 말 이시죠?"

"말 그대롭니다. 당신의 신체가 현재 환경에 맞게 진화했다는 것 입니다. 지금 지구의 대기권은 얇아지고 있으니까요."

루카스 강은 아무 말이 없었다. 신 교수는 전화가 끊겨졌는지 한 번 확인하고는 다시 말했다.

"직접 만나서 얘기하시죠. 이번 주 금요일 18시, 사거리에 있는 신재생 식당에서 만납시다"

이후 전화는 끊겼다. 루카스 강은 일방적으로 찾아왔다가 떠난 충격적인 소식에 그날 업무를 제대로 할 수가 없었다.

마침내 금요일이 찾아오고, 루카스 강과 신 교수 둘 다 떨리는 마음으로 식당으로 향했다.

"안녕하십니까, 우주항공연구소장 신재열입니다. 만나서 반갑습니다."

"네, 저는 루카스 우주복의 사장 루카스 강이라고 합니다."

"바로 본론으로 넘어가겠습니다. 지난번에 말했듯이 당신의 폐가 퇴화하고 있습니다. 저희 연구소는 인류가 그런 진화를 함으로써 우주복 없이 우주로 나갈 수 있는 발판이 생겼다고 생각했습니다. 그래서 드리는 말씀이지만 혹시 저희 우주산업의 첫 개척자가 되어주시지 않겠습니까?"

루카스 강은 말이 없었다. 그저 크게 뜬 눈을 깜박거리면서 신 교수의 얼굴만을 쳐다볼 뿐이었다.

"음식 나왔습니다."

정적을 깬 것은 나오는 음식이었다.

"이번에 새로 나온 딱정벌레 스테이크라고 합니다. 맛있을지 모르겠네요"

"아 네, 잘 먹겠습니다."

음식을 먹는 동안 식당 스피커에서 흘러나오는 재즈가 두 사람의 대화를 대신하고 있었다. 식탁 너머로 보이는 루카스 강의 얼굴은 꽤 착잡해 보였다.

"제가 개척자로 가게 되면 남아있는 제 와이프와 아들은 어떻게 되는 거죠?"

예상했던 질문이었다. 자신의 가족들을 먼저 생각하다니, 개척자 다운 면모였다.

"가족분들께는 부족하지 않도록 지원해드리겠습니다. 우주에서도 지구와 막힘없이 연락하실 수 있도록 모두 준비해드리겠습니다"

"……."

식사를 마친 후 루카스 강은 말문을 열었다.

"해봅시다."

간결했다. 굳은 결심을 한 어투였다.

"감사합니다. 우주에 갈 준비를 하는 것은 나중에 연락드리죠."

"네, 다음에 봅시다."

신 교수는 속으로 환호성을 질렀다.

'이제 예산 지원과 개발만 있으면 인류는 더 넓은 우주로 진출할 수 있어.'

이찬희는 집무실 테이블에 발을 올리고 있었다. 물론 노는 것은 아니었다. 단지 조금 빈둥거리고 있을 뿐. 그의 눈앞에는 푸른 홀로그램 창이 일렁이고 있었다. 홀로그램 창에는 흰 글씨들이 바글거렸다.

'요즈음 일들이 바빠서 우주 자원 쪽은 신경도 쓰지 못했었지.'

"의원님!"

한참 사색에 잠겨 있는데, 갑자기 비서가 집무실 문을 박차고 들어왔다. 화성 쪽으로 출장을 나갔다고 하더니 예상했던 것보다 훨씬 이른 귀가였다.

"오늘 운일 건설 사장하고 식사를 했는데, 우주항공연구소장이라는 작자가 지금 KL-2816에 사람을 보낸다고 합니다. 지원도 이미 받아두었답니다. 우주선을 만들려고요."

비서는 바지 뒷주머니에 넣어놓았던 패널을 펼쳐서 이찬희에게 내밀었다.

"운일 건설이면 화성 쪽 건설사지? KL-2816은 어디야? 알아들을 수 있게 말을 해."

이찬희는 읽지도 않고 패널의 페이지를 빠르게 넘기면서 툴툴거렸다.

"카이퍼 벨트 끝부분으로부터 1광년에 있는 행성이요. 하이스틸 나오는 곳 말입니다."

비서는 황당하다는 듯 헛웃음을 지으면서 이찬희의 손에서 패널을 가져갔다. 본인 돈줄이 있는 곳도 모르다니, 이런 인간이 어떻게 정치인이 됐지. 따위의 생각을 하면서.

하이스틸은 인류에게 있어서 최적의 물질이었다. 철보다 강하지만 유연하고, 석유보다 저렴했지만 에너지 효율은 더 좋았다. 몇 년 전부터 정부는 관련 기술자들을 대동한 채 태양계 바깥으로 진출하기 시작했다. 기술의 발전으로 빛의 속도를 따라잡는 우주선과 우주 항로도 얻었으니, 당연스런 욕심이었다. 물론 인간이 직접 나아가기에는 우주가 너무나 넓고 거칠었기에 무인 우주선을 보내는 일로 만족해야 했지만 말이다.

여느 정치인들이 다 그렇듯, 이찬희도 정부의 눈을 피해 개인적으로 하이스틸을 채굴하고 있었다. 정작 이찬희는 하이스틸이 나오는 행성 이름도, 행성이 어디에 있는지도 제대로 알지 못했지만 그게 제 뒷주머니를 채우고 있다는 것만은 알았다.

그래서 비서가 말한 문제가 자신의 자산을 깎아 먹을 수도 있다는 사실도 금방 인지했다. 이찬희는 곧장 다시 비서의 손에서 패널을 뺏어서 페이지를 넘겼다. 우주항공연구소, 신재열. 이 작자가 내 돈줄을 잘라먹으려는 사람이구만. 이찬희는 신경질적으로 책상에 패널을 내려놓았다. 그러고선 곧바로 어딘가에 전화를 걸었다.

"여보세요, 어. 그래, 잘 지냈나? 이번에 나 좀 도와줄 수 있는가 하고 연락했네…."

친밀한 누군가와 전화를 하고 있는 이찬희의 입가에는 음흉한 미소가 걸려있었다.

며칠 뒤 이찬희는 자신과 친한 약사 한 명과 면담을 가졌다.

"내가 말한 약은 어느 정도 돼가고 있나?"

"거의 완성되었습니다. 하지만 부작용이…."

"괜찮네, 그 약은 언제쯤 받을 수 있나."

"아마 몇 주 정도 뒤에 드릴 수 있을 것 같습니다."

"알겠네. 그럼."

이찬희는 약국에서 나오자마자 비서에게 넌지시 말했다.

"이번에 자네가 우주항공연구소 직원으로 한번 들어갔다 오게나. 부탁할 것이 있네."

"예? 알겠습니다."

비서는 당황한 기색이 역력했지만 고개를 끄덕일 수밖에 없었다.

"쾅!"

"지지지지지직."

비서는 흰 연구복을 입고 우주항공연구소에 들어왔다. 평소 입지 않는 옷과 들어올 일 없는 장소여서 그런지 저절로 긴장이 되었다.

"여기 절단 토치 좀 가져다 줘!"

연구소 안은 한창 우주선을 만드느라 소란스러웠다.

'음. 저기가 루카스 강의 방인가?'

비서는 자연스럽게 연구소의 구석에 박혀있는 루카스 강의 방으로 향했다. 루카스 강은 한창 훈련으로 바쁜 일상을 보내고 있었다.

"삑- 인증되었습니다."

어디서 구했는지 모르겠지만 의원님이 주신 카드키를 루카스 강의 방에 보안
장치에 대니 금세 문이 열렸다.

"환영합니다."

자신을 반겨주는 인공지능 목소리에 비서는 흠칫 놀랐다. 입술이 바짝 말랐다.

'꼴랑 이 약 하나 때문에 나를 이렇게 위험한 곳에 보낸거야?'

안 그래도 맘에 안 들었던 제 고용인이 더 싫어지는 순간이었다.

비서는 루카스 강의 책상에 있는 영양제 사이에 이찬희가 준 약통을 올려놓았
다. 좀 자세히 보면 들킬만했지만 이런 일에 심혈을 기울이고 싶지 않았다.

"이딴 일 그만두던 지 해야지."

비서는 혼잣말을 하며 유유히 우주항공연구소를 빠져나왔다.

루카스 강은 훈련을 마치고 방으로 돌아왔다.

"훈련을 했더니 좀 피곤한데."

루카스 강은 한 치의 의심도 없이 책상 위에 있는 약들을 몽땅 입에 털어 넣었다.

"삑- 인증되었습니다."

신 교수가 루카스 방으로 들어왔다.

"훈련하느라 고생했네. 몇 시간 뒤에 기자회견이 준비되어있는데 혹시 할 수 있
겠나?"

"괜찮습니다. 쌩쌩해요!"

루카스 강은 보란 듯 제자리에서 뛰며 신 교수에게 말했다.

"하하, 그럼 좀 이따 보지."

"네."

몇 시간 뒤, 루카스 강은 기자들 앞에 섰다. 신 교수를 만난 후로부터 가슴이 저
리듯 아파 오기는 했지만 견딜 만했다.

"찰칵찰칵."

셔터 소리가 귀를 가득 메웠다.

"우리 우주항공연구소의 우주 개척자 루카스 강입니다!"

신 교수가 거창하게 소개를 했다. 루카스 강은 웃으며 단상 위로 올라가 말문을 떼려고 마이크를 고쳐잡았다. 하지만 루카스 강의 입은 떨어지지 않았다.

"……."

"찰칵. 찰칵. 찰칵."

주변은 셔터 소리로 가득 차고 신 교수의 얼굴은 점점 굳어져만 갔다.

"으윽…."

"쿵."

루카스 강은 짧은 신음과 함께 가슴을 잡고 단상 위에서 쓰러지고 말았다. 몇 초의 정적 이후 셔터 소리는 더 커져만 갔다.

사우나를 하고 있던 이찬희는 비서가 가져온 뉴스를 보고 호탕하게 웃었다. 꼴 좋군, 감히 누구의 지갑에 손을 대려고.

"하하하, 오늘은 고기가 땡기는군. 저녁으로 고기를 준비하도록!"

"네. 요리사에게 말해놓겠습니다."

이찬희의 얼굴은 미소로 젖어 들어갔다.

신 교수는 혼수상태인 루카스 강을 뒤로하고 담당 의사 정선을 만났다.

"지금 루카스 강의 상태는 어떻습니까?"

"전체적인 검진을 해본 결과, 폐의 절반 이상이 재생되었습니다. 혈액 검사 결과 재생 촉진제를 투여한 것으로 추정됩니다."

"재생 촉진제라뇨. 저희 쪽에서는 그런 약을 준 적이 없는데 이게 대체 무슨 일 인지."

"많은 에너지가 순식간에 폐가 재생되는 것에 쓰여서 뇌가 그걸 견디지 못했을 겁니다. 그래서…."

"선생님! 환자 코마 상태에서 벗어났습니다!"

정선이 한창 루카스 강의 폐 사진을 보면서 대화를 나누고 있을 때, 간호사가 황급히 그들을 불렀다. 정선과 신 교수는 서로 눈을 마주치고선 병실로 뛰어갔다. 온통 백색인 병실의 문이 조용히 열렸다. 신 교수와 정선은 병실에 다급히 발을 들였다.

루카스 강은 침대에 등을 기댄 채 앉아있었다. 신 교수를 발견한 그의 표정이 밝아졌다.

"오셨어요?"

"괜찮은가? 다행이네…."

신 교수는 몸에 잔뜩 들어가 있던 힘이 풀리며 주저앉고 말았다.

"일어나셔서 여기 앉아 보시죠."

루카스 강은 몸을 숙여 밑에 있던 간이 침대를 꺼내었다.

"저, 교수님. 할 말이 있습니다."

루카스 강은 먼저 말을 꺼냈다. 얼굴에 떠 있던 미소는 간데없고 표정이 진지했다.

"개척자가 되고 싶습니다. 교수님이 말씀하셨던 것처럼요."

신 교수는 숙이고 있던 고개를 번쩍 들었다. 제가 들은 것이 맞는지 재확인이 필요했다.

"저 정말 KL-2816에 가고 싶습니다. 저를 보내주세요, 교수님."

"자네 지금 몸 상태로는 힘들지 않겠는가."

루카스 강은 옆에 있던 정선을 바라보며 말했다.

"선생님 어느 정도 되어야 몸 상태가 호전될까요?"

"음… 아무래도 한 번에 많은 에너지가 집중되어 그런 거면 2주 정도의 시간이 필요할 것 같습니다."

"들으셨죠? 2주만 투자하면 다시 일어설 수 있습니다."

"나와 함께라면 언제 또 이런 일이 발생할지 모른다네. 그걸 알고도 할 수 있겠는가."

"저는 처음 우주에 가기로 했을 때부터 교수님을 믿고 있었고, 지금도 여전히 믿고 있습니다. 개척자가 되고 싶습니다."

침대에서 일어나서 허리 굽혀 부탁하는 루카스 강의 얼굴은 창백했지만 그의 눈은 별처럼 환히 빛나고 있었다. 신 교수의 머리 속에는 많은 생각이 지나쳤다.

"우리 앞길을 막는 자들이 다음엔 무슨 짓을 할지 모르네. 그래도 나와 함께하겠나?"

"괜찮습니다. 저를 우주로 보내주실 수 있는 건 교수님뿐입니다."

"정말 괜찮겠나?"

"괜찮습니다. 저희 함께 우주개발의 초석을 다져 봐요."

"알겠네. 미안하고, 고맙네."

두 사람은 손을 꽉 붙잡았다. 신 교수는 자신이 평생토록 모아온 재산에 손을 댈 수도 있다고 처음으로 생각했다. 연구소로 돌아오자마자 신 교수는 사건의 발단을 찾으러 나섰다.

'일단 경찰에게 신고는 해 놓았고, 이번에 새로 도입한 나노 CCTV의 성능을 확인해봐야겠군'

신 교수는 CCTV 영상을 보고 까무러치게 놀라게 되었다.

'이건?!'

그날 신 교수는 깊은 고민에 빠지게 되었다.

"증거를 더 찾아봐야겠어."

이후 신 교수는 곧 가게 될 KL-2816에 인공지능 로봇 하나를 보내둔 뒤 우주선 제작에 몰두했다.

"신 교수님!"

2주 뒤 반가운 목소리가 들렸다.

"루카스 강. 오랜만일세. 몸은 괜찮은가?"

"네, 다 나았습니다. 이제 훈련해야죠. 우주로 나갈 훈련."

꽤 멀끔한 모습으로 연구소를 찾은 루카스 강은 건강하다 못해 팔팔해 보였다. 내내 병원에만 있어서 그런지 오랜만에 나온 바깥이 반가운 것 같았다. 신 교수는 흰 가운을 펄럭이면서 우주선이 만들어지고 있는 곳으로 향했다. 이미 발사대는 다 만들어졌고, 철제로 된 몸체가 만들어지고 있었다. 불꽃이 일렁이면서 철판 몇 개가 맞붙었다. 시뻘겋게 달궈진 철판이 고글에 비쳤다.

"발사까지 얼마나 남았죠?"

"3달 정도로 예상하고 있네. 시간이 조금 촉박한가?"

"아닙니다. 그 정도면 충분하죠. 수고하십시오. 먼저 가겠습니다."

루카스 강은 홀로그램 시계의 캘린더에 날짜를 지정하고는 먼저 연구소를 떠났다.

그 후로 긴 3개월이라는 시간 동안 신 교수는 우주선 제작에 몰두했다. 우주선 안의 압력을 최소화하고 안정된 상태로 카이퍼 벨트 바깥으로 나갈 수 있도록 최선을 다했다. 신 교수는 거의 한 달 밤낮을 내리 연구소 안에서만 지냈다. 신 교수가 우주선 제작에 몰두한 만큼 루카스 강도 훈련과 회복에만 집중했다. 우주항공 연구소가 직접 준비해 준 훈련장과 집만을 오가며 머나먼 우주로 떠날 채비를 했다. 자신의 아들과 아내를 두고 우주로 떠나는 것은 착잡했지만 지원을 해 준다는 신 교수를 믿었다. 그에게 자신의 모든 것이 달려있었다. 재산도, 가족도, 목숨도.

마침내 발사 당일. 신 교수는 전보다 퀭해진 모습으로 발사장에 나타났다. 좋지 않은 안색과는 달리 걸음걸이만은 위풍당당했다. 카메라를 동반한 기자들이 눈에 띄었다. 이번에 성공하면 사람들이 우주 이주 프로젝트에 관심을 가지게 될 것이라고 믿어 의심치 않았다.

신 교수는 사람들의 뒷모습을 쫓으면서 루카스 강을 찾았다. 하지만 루카스 강은 보이지 않았다. 설마 발사 당일에 오지 않을까, 신 교수는 스멀스멀 올라오는 불안감을 애써 삼켜내면서 주위를 둘러보았다.

"교수님!"

어디에선가 루카스 강의 익숙한 목소리가 들려왔다. 루카스 강은 3개월 동안 자신의 방과 훈련장만 다닐 정도로 열심이었다. 그 결과일까 그의 몸은 훨씬 커졌고 몸이 마치 큰 벽처럼 보일 정도였다. 신 교수는 루카스 강의 굳은살 박인 손을 꽉 움켜쥐었다.

"이번 비행은 당신에게 달려있네."

루카스 강은 더 이상의 말이 필요 없다는 듯 말없이 고개만 끄덕여 보였다. 기자들의 셔터 소리는 더욱 커져만 갔다. 여전히 제 손을 꽉 붙잡은 신 교수를 뒤로 한 채, 루카스 강은 마침내 우주선에 올랐다. 우주선의 공기는 바깥공기보다 건조했다. 신 교수는 발사대로 향했다. 빨간 버튼이 시선을 붙잡고 있었다. 신 교수는 심호흡을 하고서 발사 버튼을 꾹 눌렀다.

"3, 2, 1. 발사!"

카랑카랑한 인공지능의 목소리와 함께 우주선 밑에서 불꽃이 일렁였다. 그러고서는 뭉게뭉게 피어오르는 연기와 함께 폭발하듯 불꽃이 터졌다. 동시에 우주선은 요란한 소리를 내며 하늘 위로 날아올랐다. 처음에는 느리게 올라가던 우주선은 점점 속도가 붙어서 빠르게 날아올랐다. 대기권을 뚫고, 카이퍼 벨트 바깥으로 나아갈 수 있을 만큼 빠르게.

같은 시각, 이찬희는 여유롭게 골프 라운딩을 돌고 있었다. 그때 저쪽에서 굉음이 들렸다.

"뭐야?!"

우주선이 뜨는 걸 직접 본 이찬희는 서둘러 골프장을 박차고 나와 의원실로 향했다.

'벌써 우주선이 준비되었다고? 분명 지난번에 비서는 아직 준비 단계에 들어가지도 못했다고 했는데….'

이찬희의 머릿속은 점점 하얘져만 갔다. 그가 의원실에 도착했을 땐 이미 경찰이 체포영장을 든 채로 의원실을 둘러싸고 있었다.

"지금 이게 뭐 하는 짓인가!"

"당신을 살인미수죄 및 우주자원 불법 채굴 혐의로 체포합니다. 당신은 묵비권을 행사할 수 있으며 당신이 한 발언은 법정에서…."

"뭐? 증거 있어? 증거 있냐고!"

"서에 가서 보여드리죠."

이찬희는 대수롭지 않게 생각하고 경찰차에 탔다. 경찰청장과 지난 세월만 자그마치 10년이었다. 항상 경찰청장의 도움으로 증거불충분으로 쉽게 빠져나올 수 있었기 때문이다. 경찰차는 얼마 뒤 경찰서에 도착했고 이찬희는 당당하게 경찰서 안쪽으로 향했다.

"여긴 무슨 일로."

"아, 여기 유 형사가 나를 체포했다네. 살인미수죄하고 우주 자원 채굴 혐의랬나?"

"이게 뭐 하는 짓인가, 유 형사! 당장 풀어드려."

경찰청장은 유 형사를 다그치며 스마트키를 찾았다.

"안 됩니다. 이번엔 명확한 증거가 있어요."

"지난번에도 그랬다가 풀어 드리지 않았나. 그냥 풀게. 괜히 민폐 끼치지 말고."

"청장님!"

유 형사는 스마트키를 찾던 청장님의 손을 뿌리치고는 안경에 있는 카메라에서 영상 하나를 재생했다.

"이거 보십시오. 우주항공연구소 신설할 때 지급했던 카드키가 여기 범죄 현장에 있지 않습니까?!"

순간 이찬희와 경찰청장의 눈빛이 크게 흔들렸다.

"이 카드키, 색이 금색이지 않습니까? 제가 듣기로는 부서별로 카드키의 색깔이 다르다고 하던데요? 금색 카드키는 국회 대표이신 이찬희 의원님께만 지급되는 것이고요."

"난 저 카드를 꺼낸 적 없다네. 저 카드가 왜 저기에 있는지 난 모르겠군."

"그래. 의원님은 저 카드를 쓰신 적 없다고 하지 않는가? 제대로 된 조사도 안 하고…. 빨리 풀어 드리게."

청장과 이찬희는 서로 안도의 눈빛을 주고받았다. 하지만 이는 단지 몇 초일 뿐이었다.

"하. 그리고 이번에 신재열 교수가 개척하려는 행성에서 자원을 불법으로 채굴하고 있는 로봇이 발견되었다 합니다."

"그게 우리랑 무슨 상관인가?"

"정체불명의 로봇을 추적한 결과 채굴된 자원은 화성으로 배달되었고, 목적지는 화성에 휴식 목적으로 만들어진 의원님의 별장이었습니다."

이찬희와 청장은 아무 말이 없었다.

"이 정확한 증거들을 두고, 증거불충분이라고 하실 수 있겠습니까?"

이찬희가 이뤄왔던 모든 것이 무너지는 순간이었다. 켜져 있던 TV에서는 루카스 강의 착륙 소식만 나오고 있었다. 몇 시간 뒤 이찬희가 구속되었다는 소식이 나라 전체에 퍼지게 되었다. 이찬희의 비리 소식으로 인해 연관된 모든 사람들은 큰 타격을 입고 모두 조사를 받거나 사퇴하게 되었다. 이후 이찬희는 범죄 사실을 조금이라도 덮기 위해 많은 돈과 시간을 들였지만 결국 모든 게 밝혀지고 말았다. 마지막 공판 날 이찬희는 징역 5년 3개월이라는 처벌을 받았다. 항소를 했지만 결과는 똑같았다. 이찬희는 눈앞에는 예전과 다른 초라한 자신의 모습과 촘촘하게 있는 전기광선 벽뿐이었다.

루카스 강이 탄 우주선은 무사히 KL-2816에 도착했다. 그 장면은 루카스 강의 개인 액션 카메라로 생중계되었다. 액션 카메라로 보았을 땐 사방에 모래가 있고, 하늘은 새카맸다. 마치 끝없이 이어진 사막의 밤을 보는 것 같았다. 신 교수는 행성의 광활한 풍경을 보고는 KL-2816이 지구와는 다른 행성이라는 것을 실감했다. 루카스 강은 며칠 호흡이 어렵다면서 KL-2816 내에 지은 임시 기지 내에서만 지내는 듯싶다가 지금은 바깥을 돌아다니며 잘 지내고 있는 것 같았다. 조금 우려스러운 건 그렇게 쾌활한 사람이 혼자서 얼마나 더 버틸지인데. 신 교수는 화상 영상을 통해서 자신의 아들과 얘기하고 있는 루카스 강을 쳐다보고는 고민에 빠졌다.

하지만 다행히 신 교수의 걱정은 오래가지 않았다. 무사히 적응한 루카스 강의 모습이 전 세계에 퍼지면서, 정부도 인류 진화 프로젝트에 관심을 가지게 되었고, 곧 막대한 지원을 약속하였다. 훈련 중에도 착실히 뽑아두었던 루카스 강의 진화 DNA와 유전자 편집 기술 덕에 진화 촉진제도 손쉽게 만들어 낼 수 있었다.

사람들은 매일 같이 올라오는 KL-2816의 근황을 보며 예전엔 고작 자원이 나오는 소행성에 불과했던 KL-28160이 지구에 견 줄 만한 행성으로 성장한 것을 감탄스러워했다. 몇몇은 이주를 결심하기도 했다. 사람들은 처음으로 행성에 발을 딛고 생활한 루카스 강을 기념하기 위해 그의 이름을 따 행성에 '루카스'라는 이름을 붙였다.

신 교수는 등받이에 늘어지듯 몸을 기대면서 유리로 된 천장을 올려다보았다. 행성 루카스로 떠나는 사람들의 모습과 그 풍경이 눈앞에 선명했다. 그 많은 인파 속에서 개척자로서 사람들을 이끌어 줄 루카스 강의 모습도, 비행기가 하늘을 가로지르는 것마냥 하늘로 솟아오를 우주선들도, 눈앞에서 아른거렸다.

제 2 화 방 사 선 차 폐 복

김 서 은 , 이 승 헌

#1.

KISTI 연구소 1층 카페 가장 햇빛이 잘 드는 테이블에 앉아 친한 연구원 선배와 이야기를 나누던 중이었다.

"선배는 누구한테 줄 생각입니까?"

"난 아내에게 줘야지."

아버지까지 KISTI의 연구원인 선배는 별 고민 없이 말하는 듯했다.

"너는 누구한테 줄 생각이냐?"

"도대체 누구에게 줘야 할지 모르겠어요"

#2.

불과 몇 달 전이었다. 한 연구원이 뛰어오는 소리가 들렸다. 연구실 문을 열고 소장에게 말했다.

"소장님, 큰일입니다. 원자력 발전소가 터진답니다. 이 상태로라면 발전소의 콘크리트는 3달 후면 다 깨지고도 남습니다. 위력은 한반도 전체. 폭발을 막을 방법은 0에 가깝습니다."

소장은 급하게 우리를 불러 긴급소집 하였다. 소장은 연구원들에게 말했다. 우리는 답했다.

"해결책이 없습니다."

"답이 없습니다."

소장은 그 자리에서 무언가를 생각하는 듯 했다.

#3.

소장은 고민 끝에 이 사건을 대통령에게 말했다. 소장실 사이로 작은 말소리가 들린다. 소장은 대통령과 긴말을 나눴다.

"그럼 해결책은 단 한 가지도 없는 것인가?"

"단 한 가지, 방사선 차폐복입니다."

"방사선 차폐복?"

"말 그대로 방사능을 완벽히 차단할 수 있는 옷입니다. 기존에 납을 사용하여 무거웠던 차폐복 대신 폴리에틸렌이라는 플라스틱을 사용하여서 평상시에도 착용하며 일상생활을 이어 나갈 수 있습니다. 또한 기존보다 더 촘촘한 덕분에 착용시 방사능에 대한 피해는 0이 될 수 있습니다."

"음…. 우리나라 모든 국민들의 수만큼 만들 수 있나?"

잠시 말소리가 끊긴다. 소장의 말소리가 들린다.

"아마 짧은 시간이라 불가능할 것 같습니다."

#4.

한 달 반 뒤 소장이 다시 한번 모든 연구원을 소집했다.

"드디어 방사능을 완벽히 차단할 수 있는 방사선 차폐복을 만들었다. 수고했어.

하지만 문제점이 있다. 이 속도대로라면 우리나라 인구 전체의 절반, 아니 절반도 못 만들겠어."

"그럼, 그 차폐복은 누구에게 나눠 주는 거죠?"

"구매하는 건가요?"

"저희도 입을 수 있는 거 맞죠?"

기술이 발달한 덕분에 짧은 시간에 완벽한 방사선 차폐복을 만든 건 우리 모두에게 희망적인 소식이었지만 인구의 절반밖에 되지 않은 차폐복의 수는 절망적인 소식이었다.

#5.

소장은 우선 대통령에게 보고한다며 대통령실로 들어갔다. 몇 분도 지나지 않아 대통령실에서는 대통령의 큰 웃음소리가 울려 퍼졌다. 대통령은 차폐복을 입을 수 있는 대상에 포함되기 때문이다.

#6.

며칠 후, 연구실 한쪽 벽면에 있는 큰 모니터에서 뉴스 소리가 울렸다.

"KISTI 연구소에서 지난 한 달간 방사능에 대해 연구한 결과, 방사능을 완벽히 차단할 수 있으며 일상에 쓰며 사용할 수 있을 정도로 가벼운 방사선 차폐복을 만들었다고 합니다. 하지만, 짧은 기간 때문에 원자력 발전소가 터지기까지 만들 수 있는 차폐복의 수는 우리나라 인구의 절반도 채 되지 않는다고 합니다. 정부는 이에 따라 차폐복을 고위 상층부과 KISTI의 연구원들에게 차례대로 2개씩 나눠 주겠다는 입장을 발표하였습니다. 그러자 시민들은 정부의 대책에 불만을 표현하였습니다. 모든 인터넷 사이트의 주제는 방사선 차폐복이 되었고, 정부에 관한 유튜브 영상 댓글은 시민들의 분노로 차 있습니다."

"아니, 뭐가 문제야? 우리가 만들어서 우리가 쓰겠다는데. 그럼 본인도 직접 만들어서 쓰면 되는 거 아닌가?"

한쪽에서 뉴스를 유심히 보던 소장이 말했다.

시민들이 이 소식을 듣고 많은 불만을 표현할 것은 예상했지만 이렇게까지 클 줄은 몰랐다. 애써 외면하기 위해 인터넷 사이트의 국적도 바꿔보았지만 이미 전 세계 알고리즘은 방사선 차폐복 문제로 가득 찼다. 다른 나라에게 도움을 요청하기에도 시간은 너무나 부족하다. 정부와 우리 연구소 직원들만 준다는 이 선택이 맞는 건지 도통 모르겠다. 하지만 지금 이 순간에도 떠오르는 진짜 문제는 '내가 받은 그 방사선 차폐복을 누구에게 줘야 하는 걸까?'였다.

#7.

"하…. 도대체 누구에게 줘야 하는 걸까요?"

벌써 20분째 선배와 이 방사선 차폐복을 누구에게 줄지 고민 중이다.

"들어보니까 승언이는 자기가 받지 않고 부모님에게 준다 하던데. 또 시은 선배는 자기 자식에게 준다고 하더라."

"음… 어머니한테 드릴까요?"

"왜?"

"그야 어릴적 제 기억 속 아버지는 엄하신 분이셨거든요. 그런 생각을 하면 아버지한테는 별로 드리고 싶지 않아요."

"그럼 어머니한테 드릴거야?"

"아마 그렇지 않을까요?"

"그래도 아버지인데…. 다시 한번 생각해봐."

"음… 확정은 아니긴 한데. 선배는 아내에게 주신다고 했죠?"

"응. 아이가 없기도 하고 아버지도 연구원이라서 쉽게 결정했어."

자녀가 없고 부모님 중 한 분이 우리 연구소 연구원인 선배는 나와 달리 어려운 고민에 빠져 있지 않았다. 내가 시은 선배처럼 아들이나 딸이 없다는 건 불행 중 다행이지만, 승언이처럼 나 자신을 포기하고 부모님께 드려야 하는 걸까? 정말 내가 내 목숨을 포기할 수 있을까? 점점 아파지는 머리에 나도 모르게 고개를 돌렸다. 그때 카페 위쪽 스크린에서 또 방사선 차폐복에 관한 뉴스가 나왔다. 또 시민들이 분노하는 장면이었다. 근데 배경이 좀 달랐다. 조금, 아니 매우 익숙한 배경이었다.

"대전…. KISTI연구소?"

카페에 경보음이 울린다. 아니. 연구소 전체에 경보음이 울린다.

#8.

대피하라는 경보음에 나는 선배와 함께 급히 가장 높은 층에 위치한 상황실로 들어갔다. 연구소 정문 앞, 연구소 지하 주차장, 연구실, 복도 등 연구소 기준 반경 10m 내외로 상시 설치된 드론이나 CCTV와 연결된 모니터로 상황을 볼 수 있기 때문이었다. 상황은 꽤 심각하였다. 시민들은 연구소 벽을 향해 고철을 던졌다. 오래전에 출시된 핸드폰, 이젠 필요 없어진 키보드와 마우스…. 내 키보다 훨씬 더 큰 모니터가 밖의 상황을 전달했다. 건물 밖에는 경호 로봇과 경찰, 그리고 시민들로 가득했다.

"너희들만 쓰면 다냐? 우리도 줘라."

"여기 소장 누구야? 빨리 나오라고 해!"

"방사선 차폐복 우리도 필요하다! 방사선 차폐복 우리도 나눠주라!"

"방사선 차폐복 우리도 필요하다! 방사선 차폐복 우리도 나눠주라!"

드론과 연결된 스피커에서 시민들이 분노에 찬 목소리가 들렸다. 몇 명이 왔는지 가늠이 안 될 정도로 큰 목소리였다.

그때 소장의 목소리가 들려왔다.

"아아, 시민 여러분은 시위를 중단하시기

바랍니다. 우리나라 전체 인구 수만큼 만들기에는 세 달이라는 시간은 너무 짧았습니다. 어쩔 수 없이 내린 결단이었습니다. 시민 여러분은 이 결단을 받아들이고 집으로 귀가하시기 바랍니다. 다시 한번 말합니다. 시민 여러분은 시위를 중단하시기 바랍니다!"

예상하지 못한 시위에 방송실까지 급하게 뛰어갔는지 소장의 목소리가 거칠었다. 시민들을 향해 돌아가라는 소장의 말이 귀가 아플 정도로 울렸다.

#9.

하지만 시민들의 발걸음은 소장의 말에도 멈추지 않았다.

"더 이상 들어오시면 안 됩니다. 발걸음을 멈춰주세요."

"아니 우리도 필요하다고 차폐복을 달라고!"

"저희도 최대한 만들 수 있는 만큼 만들어볼 테니 돌아가 주세요."

"뭐? 돌아가달라고? 너희가 우리에게 어떻게 줄 건데?"

"뉴스에서도 고위상층부와 너희 연구원들에게만 나눠준다고 했잖아!"

"저희도 최선을 다하고 있습니다. 제발 돌아가 주세요."

"돌아가라는 말만 하지 말고 어떻게 할 건지를 말하라고!"

연구소 정문 앞에서 시민들과 경찰이 한창 다투는 중이다. 그런데 정문에서 좀 떨어진 곳에서 몇몇 사람들이 수상한 움직임을 보인다.

"어, 선배. 저기 저 사람…. 연구소 장벽 쪽으로 오는데요?"

"어?"

정말 몇몇 시민들이 연구소 장벽을 부수고 들어가는 중이었다. 한 시민이 발로 벽을 '쾅' 차며 연구소 안으로 들어가자 경보음이 울렸다. 중장비를 거친 경찰들이 정문 옆 장벽 쪽으로 다급하게 뛰어갔다.

"거기 멈추세요! 더 이상 연구소 안으로 들어가지 마세요!"

"멈추세요!"

경찰들이 악 지르다시피 멈추라고 이야기하지만 시민들은 멈추지 않는다. 오히려 한발 늦은 경찰들 때문에 이미 연구소 안으로 들어가 고개를 기웃거리며 여기 저기 훑어보고 있었다. 아마 방사선 차폐복을 찾는 중이겠지.

#10.

"꺄아아악! 누가 좀 살려주세요!"

"야, 차폐복 어디 있어!"

이건 또 무슨 상황인가. 우리 연구원이 시민들에 의해 잡혀있다.

"차폐복 어디 있냐니까?"

시민들은 방사선 차폐복을 빨리 얻기 위한 방법으로 무력을 선택했다. 아마 영문도 모르던 연구원이 지나가다가 시민들에 의해 잡혔을 것이다. 새파랗게 겁에 질린 듯한 연구원은 아무말도 못한 채 벌벌 떨고 있는 듯했다. 경찰이라도 빨리 와서 도와주면 좋겠는데 소란스러워서 안 들리는 걸까. 사람들이 너무 많아서 거기까지 가지 못하는 걸까. 경찰의 대처가 늦고 있다.

"선배, 저희라도 도와줘야 하는 거 아니에요?"

"지금 나가봤자. 우리도 잡힐 게 뻔해. 일단 기다려보자."

"야! 차폐복 다 어디에 있냐고!"

연구원을 붙잡은 시민의 말투는 더 격해지고 있었다. 게다가 한 시민이 주머니에서 권총 한 자루를 꺼냈다. 그리고 그대로 우리 연구원 머리에 겨누었다.

"꺄아아악! 저도 어디에 있는지 모른단 말이에요. 제발 목숨만은 살려주세요. 다 할게요."

"방사선 차폐복 어딨냐니까? 말하라고!"

"정말 모른단 말이에요. 제발 살려만 주세요."

탕 -

시민이 총을 쐈다. 순간 연구소 전체가 조용해졌다. 시위로 인한 첫 피해자가 생겼다.

그때 총소리를 들은 건지 경찰들이 그 장소로 뛰어왔다.

"모든 시민분 들은 그 자리에 멈춰 손을 머리 위로 올리십시오. 또한 소비한 총기를 모두 바닥으로 내려 주시길 바랍니다."

"…"

"우리가 왜 그래야 하는데!"

"총을 내려놔도 달라지는 건 없잖아!"

탕- 탕-

시민들은 경찰을 향해 총을 쐈다. 경찰은 물론 옆에 있던 연구원까지 총에 맞았다. 연구원에 이어 경찰 측에도 사상자가 생기자 경찰도 무력을 사용하기 시작했다. 총소리가 들리고 사람이 고통스러워하는 소리가 들렸다. 그야말로 아수라장이 되어버렸다.

#11.

그 순간 또 다른 경보음이 하나 더 울린다.

"아아, 긴급 말씀드립니다. 원자력 발전소 외부 문제로 인하여 폭발까지 거의 한 달이라는 시간이 10시간으로 줄어들었습니다. 연구소 연구원들은 방사선 차폐복을 챙겨 대피하시길 바랍니다. 다시 한번 안내합니다. 원자력 발전소의 외부 문제로 인하여…."

"뭐? 10시간?"

"10일이 아니라 10시간이라고요?"

"뭘 꾸물대는 거야. 빨리빨리 찾아!"

"방사선 차폐복 어디 있냐고!"

아수라장이었던 연구소가 긴급 방송으로 인해 더 아수라장이 되었다. 이젠 시민이고 경찰이고 모두 흩어져 방사선 차폐복을 찾기 시작했다. 몇 분이 지났을까. 시민과 경찰은 물론 고위 상층부와 연구소 직원들까지 자신들의 몫의 방사선 차폐복을 챙기기 시작했다.

"야야, 일어나. 우리도 방사선 차폐복 다 사라지기 전에 빨리 챙기러 가자."

갑작스럽게 너무나도 많은 일이 일어난 탓에 넋이 나갔던 나는 선배의 말에 정신을 부여잡았다. 나는 빨리 내 개인 연구실로 가 미리 챙겨뒀던 방사선 차폐복 2벌을 가방 속으로 넣었다. 나는 방사선 차폐복을 챙긴 그 가방을 내 품에 꼭 안고 뛰었다. 가장 높은 상황실에서 지하 주차장까지 달려갔다. 익숙한 목소리가 들리기 시작한다.

"방사선 차폐복 더 어디 있어?"

"그게…. 아마 3층 창고에 더 있습니다."

인파가 몰려 잘 보이지 않는 구석에서 소장이 쪼그려 앉아있다. 1개. 2개. 3개…. 가방 지퍼 사이로 차폐복이 보인다. 몇 개를 챙긴 걸까 소장의 큰 가방이 빵빵해졌다. 도대체 얼마나 더 챙기고 싶은 건지 옆에 있던 연구원에게 어디에 더 있는지까지 물어본다.

"야야, 3층 창고에 방사선 차폐복이 있대!"

"방사선 차폐복 3층!"

소장과 연구원의 대화를 언제 들은 걸까 한 시민이 크게 소리쳤다. 한 시민이 소리친 그 소리는 더 많은 시민들의 목소리로 연구소 2층을 에워쌌다. 한꺼번에 큰 인파가 3층으로 몰린다. 이런 식으로 스친 사람들만 해도 100명은 더 되는 것 같다. 나는 혼란스러움도 잠시 정신을 차리고 지하 주차장까지 계단을 타고 내려갔다. 다리가 아프더라도 이미 엘리베이터는 멈춘 상태라 어쩔 수 없었다. 그리고 한

층만 더 내려가면 지하 주차장일 때 누군가 나를 부르는 소리가 들렸다.

"저기! 저기요…. KISTI 연구소 직원분 맞으시죠? 저도 KISTI 직원이거든요. 제가 분명히 제 자리에 방사선 차폐복을 챙겨놨는데요. 아니 챙겨서 방금 가방에 담아 가는 중인데요. 방사선 차폐복이 안 보여서요. 혹시 아실까 해서요. 저 꼭 필요해서요."

내 발걸음을 멈춘 건 우리 연구소 연구원이었다. 아마 소매치기를 당했나 보다. 평생 겪어볼 일을 오늘 하루 다 겪어보는 것 같았다. 가방 전체가 아니라 가방 속 방사선 차폐복만 쏙 가져가다니 얼마나 급한 상황인지 느껴졌다. 같은 연구소 직원끼리 돕지 못하지만 나도 급한 건 마찬가지이기에 대충 대답하며 넘겼다.

"죄송합니다. 저도 잘 몰라서요."

더 이상 시간을 지체할 수 없기에 나는 더 빠른 속도로 계단을 내려왔다.

#12.

정신없이 차에 타 방사선 차폐복이 담긴 가방을 조수석에 놓았다. 누군가에게 쫓기듯 연구소를 나와 생각할 틈도 없이 달려 도착한 곳은 본가였다. 모든 도로의 차가 막혀 10분 거리를 30분이나 걸려서 도착했다. 더군다나 원자력 발전소의 상황은 좋지 않아 폭발까지 남은 시간이 점점 줄어들고 있었다. 며칠 전 KISTI 연구소에서 연구소 직원들에게만 나눠준 손목시계를 통해 폭발까지 몇 시간 남았는지 확인한다.

[07:20:10]

벌써 7시간밖에 남지 않았다. 급하게 마을 상황도 훑어본다. 본가 쪽 상황이 연구소 상황과 별다르지 않았다. 굳이 다른 점을 찾는다 하면 사람 수밖에 없었다. 모든 집이 소란스러웠다. 우리 연구소와 가까운 마을이라 벌써 방사선 차폐복을 챙겨 가족들에게 나눠주는 사람들도 보였다. 나는 어서 우리 집을 찾았다.

#13.

띵동-. 띵동-.

"어머니, 아버지. 저예요."

"어머, 언제 온 거니?"

"원자력 발전소가 10시간 뒤면 터진다는데, 이게 사실이니?"

"아니 그보다, 몸은 괜찮니? 연구소는 시민들로 가득 찼다하던데…"

"저는 괜찮아요. 어머니 아버지도 괜찮으시죠?"

"우리야 괜찮지…"

위력은 한반도 전체. 막을 수 있는 방법은 0%. 방사선 차폐복은 인구의 절반. 10시간 후 폭발한다는 사실이 시민들에게 빨리 알려져서 다행이다. 나는 어서 집에 들어가 가방 속에서 방사선 차폐복 2벌을 꺼냈다. 연구소에서 나눠준 시계를 두 번 터치해 폭발까지 남은 시간을 확인했다.

[07:10:18]

분명 별로 시간이 흐른 것 같지 않은데 벌써 10분이나 줄어 들어있다. 시간이 빨리 지나가는 걸까. 원자력 발전소가 더 이상 버티지 못하는 걸까.

"어머니, 아버지. 일단 이것부터 입으세요."

나는 어머니와 아버지께 방사선 차폐복을 각각 한 벌씩 드렸다.

"너는? 네 것은?"

"우리는 괜찮아. 너라도 빨리 입으렴."

"아니에요. 제 것은 연구소에 놓고 왔으니 어머니 아버지만 입으시면 돼요."

"아니 그게 무슨 소리니. 분명 2벌씩만 지급 된다 하지 않았니?"

"나는 정말 괜찮으니까 이거 너 빨리 입으렴."

"아, 아직 뉴스에서 안 나왔어요? 정책이 바뀌어서 연구소 직원들에게는 한 벌씩 더 주기로 했어요"

"어머 진짜니? 잘된 일이네…."

사실 정책이 바뀐 건 거짓말이다. 아니 2개 이상 가져간 연구원들도 있으니 이건 거짓말이 아니지 않을까? 아마 지금 연구소에 간다고 해서 남은 차폐복도 없을 것이다. 고위상층부나 연구소 직원들, 시민들이 연구소 전체를 샅샅이 뒤져 방사선 차폐복을 싹쓸이했을 것이다. 사실 나도 잘 모르겠다. 부모님께 거짓말을 할 생각은 없었지만 어쩌다 보니 가장 큰 거짓말을 해 버렸다. 가슴이 미치도록 쿵쾅쿵쾅 뛰지만 이미 뱉은 말이니 어쩔 수 없다.

"정말이에요. 어머니 아버지께 방사선 차폐복을 드리고 전 다시 연구소로 돌아가 연구소에 둔 차폐복을 입을 테니 걱정하지 마세요."

#14.

"어머니, 아버지. 원자력 발전소가 연구소 예측보다 훨씬 더 빨리 터질 것 같아요. 그러니까 방사선 차폐복 답답하다고 벗지 마시고 꼭 집에 계세요. 아시겠죠?"

"그래, 알겠다. 너도 정말 괜찮은 거지?"

"꼭 너도 연구소로 돌아가 차폐복을 입으렴."

"네, 그럼. 저 가볼게요!"

"그래, 어서 가."

어머니와 아버지가 차폐복을 입으신 걸 확인한 후 차에 탔다. 다시 한번 손목에 있는 시계를 두 번 터치한다.

[03:11:11]

벌써 3시간밖에 남지 않았다. 1시간이 1시간 같지 않다. 원자력 발전소가 이제 진짜 더 이상 버티지 못하나 보다. 지금 연구소에 가도 차폐복은 남아있지 않을 테니 연구소는 가지 않을 것이다. 대신 연구소와 가까운 엑스포다리로 내비게이션을 찍는다. 17분. 평소에도 자주 가는 곳이라 몇 분 걸리는지 기억한다. 하지만 연구소에서 본가로 가는데 차가 막혔으니 이것도 좀 걸리겠지. 나는 자율 주행모드로 설정해두고 운전석 의자를 뒤로 꺾고 눈을 감았다.

#15.

"목적지에 도착하였습니다."

내비게이션의 한 마디에 눈이 떠졌다. 예상대로 17분보다 훨씬 많은 시간인 40분이 걸렸다. 차가 매우 막혔나 보다. 나는 자율 주행모드로 주차해둔 그곳에 차를 놔두고 엑스포다리 밑으로 내려갔다. 손목시계로 폭발까지 몇 분이 남았는지 확인하려 했지만 굳이 하지 않는다. 어차피 몇 시간 안 남았을 것 같다. 나는 흔들리는 물결을 바라보기만 한다.

…….

두두둥-. 둥-.

고요한 바람밖에 느껴지지 않았던 그때,
미세한 진동이 느껴진다.

펑! 펑!! 펑!!!
푸슈욱ㅡ. 둥. 둥ㅡ.

원자력 발전소가 터졌나 보다. 나는 소리가 나는 쪽으로 고개를 돌렸다. 눈앞에 불꽃이 보인다.

흰색. 노란색. 주황색. 빨간색. 보라색. 회색…. 검정색….

오묘한 색의 구름이 내 쪽으로 다가온다. 구름이 점차 내게 다가오더니 내 머리 위 하늘은 우중충해졌다. 예쁜 파란색 도화지에 물통이 쏟아진 것처럼 회색 도화지가 되었다. 쾌쾌한 냄새가 진동했다. 쏟아져버린 물통에서 나온 그 물은 금세 내 주변을 덮었다. 그 물의 속도에 나는 눈을 감았다 떴다.

이번엔 길게 눈을 떠 내 마지막 풍경을 눈에 담았다.

제 3 화 얼 스 시 티

장 하 은 ,   이 양 규

#1.

　오늘도 기름 냄새가 2층 창문을 걸쳐 올라온다. 아, 아침이다. 난 자리에서 일어나 학교에 갈 준비를 끝내고 계단을 내려와 엄마 아빠에게 인사를 건넨다. 요즘 왠지 모르게 몸이 찌뿌둥하다. 학교에 가는 것은 재미없는 일이다. 아이들은 5D 핸드폰, 유전자조합으로 만든 애완동물, 끝도 없이 넣을 수 있는 가방 등 한창 띄워지고 있는 신기술 제품들을 가져온다. 나에겐 고작 10년 전에 나온 바퀴 없는 킥보드뿐이다. 후진 킥보드는 아이들에게 놀림거리일 뿐이라 학교로부터 저만치 떨어진 곳에 세워둔 채 학교에 걸어간다. 우리 아빠도 다른 부모님들처럼 IT산업 기술 회사 같은 곳에서 일하면 좋을 텐데.

　교실 문을 들어가기 전 옷에 기름 냄새가 배었는지 맡아보는 나였다. 교실에 들어가는 것은 그리 어려운 일이 아니다. 어차피 신기술 물건을 가지고 있지 못한 나는 그들에게 투명인간이나 다름없는 것이나 마찬가지이기 때문이다. 유일하게 좋아하던 체육수업도 인공지능 자동차 경주시간으로 바뀐 뒤로부턴 그다지 흥미롭지 않았다. 학교가 끝난 후 집으로 돌아가는 길에 괜한 마음에 부모님께 화가 났다. 난 신기술들을 그저 한심하게 여기긴 했지만 내심 그것들이 신기하고 탐났다. 당연한 것이 아닌가. 상상해 봐라. 이전에는 먼 미래 같기만 하고 그저 SF라고 칭

하던 것들이 눈앞에 펼쳐지고 있으니 말이다.

　머리 위로 떠다니는 자동차들을 뒤로한 채 한참 걷다 보니 저만치 깜빡이는 치킨집 간판이 보인다. 꺼질 듯 말듯 힘겹게 깜빡이는 저 간판이 오늘따라 나와 다를 것 없이 느껴진다. 가게에 들어서니 아직도 팔리지 않은 치킨이 한가득 쌓여있다. 어머니가 가게 한쪽에서 손을 들어 나를 마중하신다. 오늘따라 불만만 가득히 쌓인 나에겐 그리 달갑지 않은 인사였다. 괜스레 발걸음만 쿵쿵대며 2층으로 올라왔다. 오늘도 어제와 어김없이 똑같은 책을 펼쳐 들고 침대에 누웠다. 옛날 지구에 대한 이야기이다. 뭐. 환경이 오염돼서 지구멸망에 가까워졌는데 첨단 기술로 지구를 구했다거나 뭐라나 죄다 말도 안 되는 이야기뿐이다. 말도 안 되지만 집에 있는 책이 이것뿐이라 읽을 수밖에 없다. 아빠는 서점에서 파는 잡지를 무지 싫어하신다. 그래서 지금은 찾아볼 수도 없는 먼 과거의 이야기들만 써 놓은 책들뿐이다. 오늘은 곱씹을수록 지루하고 별 볼 일 없는 하루이다. 난 그렇게 1주일 2주일. 한 달이 지나도록 매일 똑같은 하루를 보냈다. 마치 내가 타임 루프에 빠진 것일까 하는 착각을 할 정도로 말이다.

#2.

　하지만 오늘만큼은 다를 것이다. 오늘은 크리스마스이기 때문이다. 보통은 과거에 지구를 구한 날이라고들 부르는데 할머니 할아버지들을 말곤 사실로 여기지 않는다. 학교엔 크리스마스 에디션으로 나온 펫봇들을 데리고 온 친구들이 다수였다. 크리스마스 펫봇은 하루 종일 사용자와 크리스마스를 함께 보내주다 자정 5분 전에 원하는 선물로 바뀌는 시스템이다. 팔리지도 않는 치킨을 튀기는 아빠는 나에게 펫봇 따위 사줄 여유가 없다는 걸 잘 알면서도 분노와 서운함이 오묘하게 섞여 밀려온다.

　학교가 끝나고 평소보다 조금은 가벼운 발걸음으로 집으로 향했다. 약간의 선물과 케이크를 기대하며 가다 보니 오늘도 꺼질 듯 반짝이는 간판이 보인다. 아,

문을 여니 달콤한 크림 냄새가…. 아니다. 눅눅하고 메스꺼운 기름 냄새뿐이다. 쿠키도, 따뜻한 우유도 아무것도 없다. 내 마음은 이제 걷잡을 수 없이 분노로 차올랐다. IT개발 회사에 다니지 않는 아빠에게 늘 내게 똑같은 책만 권유하는 엄마에게 모든 게 분노로 차오른 채 발걸음을 2층으로 옮기니 부모님이 식탁에 마주 앉아 계신다. 난 아빠에게 냅다 소리쳤다.

"내 인생은 이 사회에서 가장 불행한 아이예요."

아. 가슴 한 켠이 뚫리는가 하더니 다시금 까맣게 물들어버린다.

엄마의 눈에서 눈물이 흐르는 것이 아닌가. 난 차마 더는 볼 수가 없어 방문을 세차게 닫고 들어가 버렸다.

몇 시간이 지났을까 아빠가 방에 들어와 문을 닫는다.

"주인공아, 잠시 아빠와 이야기 좀 나눠주겠니?"

처음 들어보는 아빠의 무게 있는 목소리에 방심한 나머지 대답해버렸다.

"좋아요."

아빠가 이야기를 시작하셨다.

"아빠가 최신기술들을 발명하는 회사에 다니지 않아 많이 속상하니? 또 팔리지도 않는 치킨은 왜 하루 종일 튀기는지. 이해되지 않지?"

아. 정곡을 찔리는 것이 이런 것인가? 나도 모르게 눈물이 하염없이 흘렀다. 아빠는 그런 내게 어떤 위로의 말도 건네지 않은 채로 이야기를 이어 나가셨다.

"벌써 20년도 더 된 일이구나. 아빠는 아주 잘나가는 수영 선수 였단다. 말하기 부끄럽지만 올림픽에선 늘 금메달은 내 차지였지. 그런데 갑자기 떠오르는 선수들이 무진장 늘어났어. 인간의 몸으론 할 수 없는 것들을 그들은 기술로 사용하기 시작했단다. 그러면서 난 사람들의 기억속에서 멀어져 갔지. 그러다가 진실을 알아버렸어. 정부에서 유출되어 버린 인공 근골격 시술이 이유라는 것을 알아 버렸단다. 나 역시도 명성을 회복하기 위해 정부를 찾아가 시술을 받았지."

난 너무 놀라 아무 말도 할 수 없었다. 이유가 무엇이냐고?

지금 인공 근골격 시술자들은 얼스시티 맨 끝자락에서 숨어 살고 있기 때문이다.

#3.

혼란스러운 나는 아빠를 뒤로 한 채 지붕 위로 올라가 인터넷 검색창에 인공 근골격 시술자들에 대해 검색해 보기 시작했다. 하지만 어느 매체든지 모두 정부에 의해 삭제된 글이라는 말뿐 어느 관련 내용도 찾아볼 수 없었다.

지붕 위에 앉자 얼마나 생각을 했을까? 얼스시티 건물 뒤에서 해가 올라온다. 저것도 진짜 태양이 아니다. 그저 빔으로 쏴 올린 아침의 시작을 알리는 거짓 태양일 뿐이다. 난 몇 시간이라도 잠을 자기 위해 이불을 머리끝까지 덮었지만 어머니가 날 깨우러 올라오실 때까지 잠은 오지 않았다. 평소 아무렇지 않게 무미건조했던 마음이 오늘따라 요동친다. 여러 생각이 머릿속을 맴돈다. 정부는 왜 인공 근골격 시술자들을 숨기려 하는 것일까? 왜 관련 정보들은 모조리 없애는 것일까?

오늘도 킥보드를 저만치 세워놓고 학교에 걸어간다. 학교가 끝나고 집에 도착해 무엇하나 빠짐없이 똑같은 일상이 끝나갈 때쯤 검은색 양복을 입은 사람들이 구석진 골목에 자리하는 우리 치킨집의 문을 두드렸다. 10명쯤 안 되어 보이는 사람들의 반듯한 정장 오른쪽 가슴팍엔 얼쓰시티 마크가 반듯하게 붙어 있었다. 나는 순간 불길한 생각이 머릿속을 스쳤다. 설마 하는 생각을 수천 번 되새기며 계단을 내려갔을 땐 아빠와 엄만 이미 없어지고 난 후였다.

#4.

그 어느 때보다 심장이 빠르게 뛰고 눈물이 눈앞을 가득 채웠다. 무슨 일이 생겼음이 틀림없지만 난 그 어떤 것도 할 수 없어 그저 울면서 길거리를 배회했다. 시간이 얼마나 흘렀는지 눈치채지 못할 만큼 걷다 보니 어느새 얼스시티 끝자락에 와 있었다.

"얼스시티 맨 끝…?"

난 확신했다 이곳에 들어가면 엄마 아빠를 구할 수 있을 거라고

난 끝이 보이지 않는 어둠이 두렵게만 느껴졌지만 이내 발걸음을 옮겼다.

"저기요…. 아무도 없으세요…?"

얼스시티 맨 끝은 생각보다 형편없지 않았다. 바퀴 달린 자동차, 버스, 지하로 다니는 기차들이 있을 뿐 얼스시티의 모습과 크게 다르지 않았다. 아무리 목청껏 불러도 아무도 나올 것 같지 않았다. 그때 흰색 티셔츠를 입은 아저씨가 저 멀리서 서서히 걸어온다. 난 직감적으로 그 아저씨에게 달려가 울먹이며 말했다

"저희 엄마가…. 아빠가…. 인공 근골격계…. 얼스시티 정부가…."

난 눈물에 말을 흘렸지만 그 아저씨는 모든 것을 다 알겠다는 듯 고개를 끄덕인 후 자신의 집으로 날 데려갔다. 아저씬 나에게 따뜻한 코코아 한잔을 내어주며 이 내 자신을 소개했다.

"아저씨는 아빠의 오랜 친구야. 네가 주인공이구나? 모두의 우려에도 결국 바깥 생활을 선택한 너희 아빠가 언젠간 이렇게 될 줄…."

난 아저씨에게 물었다.

"정부는 도대체 왜 근골격 시술자들을 숨기려 하는 거예요?"

아저씨가 잠시 멈추었다가 대답했다.

"정부는 우리가 본인들에게 위협이 될 거라고 생각하고 있어. 비정상적으로 근 골격이 발달한 우리가 자신들을 헤치고 얼스시티를 점령할 거라고 말이야. 그래서 얼스시티 시민들에게도 주기적으로 경고문이나 주의 문구를 보내기도 한단다."

아. 난 아저씨의 말을 듣고 이해가 갔다. 정부는 바깥에서 생활하고 있는 우리 부모님이 언젠간 자신들에게 위협을 가해 올 거라 생각했던 것이다.

그렇다면 이제는 시간이 없다. 난 아저씨의 두 손을 꼭 잡고 간절히 부탁했다. 베일로 싸인 얼스시티 정부에 들어가 우리 부모님을 함께 구해달라고 말이다. 아 저씨는 우리 아빠와의 옛정 때문일까 흔쾌히 동의하셨다. 아저씨는 얼스시티 맨 끝의 입구로 가더니 나를 안고 순식간에 하늘로 솟아올랐다.

"아. 매일 같은 길만 다녀서 몰랐는데 얼스시티 생각보다 아름다워요. 아빠를 구해내면 매일 밤 뛰어올라 달라고 부탁할래요."

아저씨는 웃음을 지으셨다.

#5.

얼마나 하늘을 비행했을까? 저 멀리 얼스시티가 보인다. 내 손은 덜덜 떨려 왔지만 마음은 누구보다 비상하다. 가까이 다가갈수록 얼스시티 건물이 위협적으로 느껴지는 것 같았다. 하늘에서 봐도 경비가 삼엄해 보였다. 아저씨는 날 모퉁이에 내려놓고 얼스시티 건물 입구로 돌진하였다. 본적 없는 힘이었다. 눈 깜짝할 사이에 수많은 경비대를 뚫고 온 아저씨였다. 우린 그렇게 곧장 감옥이 있는 지하로 향했다. 그런데 어디선가 빨간 경고등과 함께 사이렌 소리가 얼스시티 전체에 퍼져 울리는 것만 같았다. 지하감옥이 눈앞에 두고 놓칠 수만은 없어 바깥 상황은 뒤로 하고 곧장 문 앞으로 달려갔다. 아저씨는 이미 많이 지친 상태. 이 문에 걸린 큰 자물쇠를 깨부수어야 하는 건 나다. 용기를 가지고 주먹으로 여러 차례 내려쳤지만 나 같은 평범한 사람이 할 수 있는 일이 아니었다. 그런데 그때 문 안쪽에서 아빠의 목소리가 희미하게 들려온다.

"주인공아! 너니?"

난 울먹이는 목소리로 나라고 내가 왔다고 있는 힘껏 소리쳤다. 아빠가 나에게 다급히 말을 걸어왔다.

"주인공아 너에겐 반드시 해 낼 수 있는 능력이 잠재하고 있다."

아빠의 말을 들은 나는 자물쇠의 구멍을 뚫어지게 쳐다보며 힘을 모은다고 생각하니 힘이 샘솟는 게 느껴졌다. 나는 있는 힘껏 자물쇠를 내려쳤다. 그러자 부수어지지 않을 것만 같던 자물쇠가 쨍그랑거리는 소리와 함께 부서지더니 이내 문이 열렸다. 나는 부모님의 손목에 있는 수갑을 풀어 드리고 곧바로 밖에 상황을 확인하기 위해 계단을 뛰쳐 올라갔다. 입이 다물어지지 않는 상황들이 밖에서 벌어지고 있었다. 바로 외계 생명체들이 얼스시티를 공격하고 있는 것이 아닌가? 나는 또다시 계단을 황급히 내려가 아빠 엄마와 아저씨에게 상황을 알렸다. 아빠는 곧장 얼스시티 끝으로 가자고 하셨다.

몇 분을 날아 얼스시티 끝에 도착하니 아까와는 다른 모습으로 사람들이 북적이고 있었다. 아빠는 사람들을 한데 불러 모아 큰 소리로 외쳤다.

"이젠 더 이상 숨기고 숨어 살 때가 아닙니다. 지금 외계 생명체가 얼스시티를 침입했습니다. 이번이 기회입니다. 외계 생명체를 물리쳐 우리를 증명하고 세상과의 오해를 풀 때입니다! 저와 함께 하실 분들은 손을 번쩍 들어주세요!"

그러자 그곳에 있는 모두가 빠짐없이 손을 들고 환호성을 질렀다. 아빠와 엄마, 아저씨 그리고 수십 명의 근골격자들이 외계인을 향했다. 나의 숨겨진 힘을 알아버린 이상 나도 가만 보고 있을 수만은 없었다. 사람들이 얼스시티 본청에서 싸우는 동안 난 외계인들로 포위된 학교에 가 외계인들을 무찔렀다. 그러자 학교 안에 있던 친구들과 선생님이 나를 향해 고맙다는 말을 아낌없이 쏟아 냈다. 나는 이로써 사회와 처음으로 소통했다. 가슴 깊은 곳부터 뜨거워진 나는 그 마음을 주먹에 실어 날렸다. 그렇게 한참을 싸우니 어느새 해가 뜨고 외계인들도 비행선을 타고 달아나고 있었다. 우린 얼스시티 본청 맨 위에 걸터 앉아 떠오르는 해를 보며 한숨을 돌리고 있었다. 이곳 저곳에서 사람들이 쏟아져 나와 박수와 환호성을 보내왔다. 얼스시티 맨 끝에 살던 사람들과 엄마 아빠는 이내 눈물을 흘리며 자리에서 일어나 사람들에게 인사 했다.

#6.

이로부터 일주일 후 얼스시티 곳곳은 외계인 침공으로부터 부수어진 건물들을 재건하기에 한창이었다. 얼스시티 본청은 시민들의 항의로 철거되고 그 넓은 들판엔 그동안 암흑 속에 살았던 근골격자들의 집들이 세워져 갔다. 물론 나에게도 아주 큰 변화들이 생겼다. 이제 더는 학교에서 외롭지도 않고 친구들이 집에서 멀찍

이 떨어진 우리 치킨집까지 찾아와준다. 지금까지 숨죽여 살던 부모님이 답답하고 밉기만 했지만 더 이상은 아니다. 지금은 나에겐 가장 자랑스럽고 가장 멋진 부모님이라 자부할 수 있다.

지금 이곳은 얼스시티가 아닌 아워시티로 바뀌어 태양계에서 가장 평화로운 도시로 자리하고 있다. 첨단 기술, AI만이 우리의 행복과 화목을 충족시키는 것이 아니다. 결국엔 사람들과의 소통, 유대감, 공동체 안에서의 존중과 배려가 보다 나은 사회를 만들어 간다.

"주인공아! 평동 배달이다."

나는 킥보드에 올라탔다. 양손에 치킨 봉지를 들고. 평동으로 향한다.

제 4 화 포리오 마을의 프레이아

권 유 민 , 홍 은 재

됐다! 드디어 성공했다. 이 얼마나 기다려온 순간이던가. 꼬박 3년을 쏟아붓고 나서야 칩 발명을 성공해 냈다. 3년 동안 들이부었던 노력과 흘렸던 땀들이 빛을 발하는 순간이었다. 3년 전 처음 칩 개발을 시작하던 날부터 발명을 성공해 낸 지금까지 있었던 일들이 머릿속을 주마등처럼 스쳐 지나갔다.

나는 13년 전 부모님을 잃고 할머니와 단둘이 포리오 마을에서 멀리 떨어지지 않은 숲속 작은 오두막에서 살아가고 있었다. 할머니와 나의 일상은 평범함 그 이상도 이하도 아니었다. 날이 따뜻하고 선선한 바람이 부는 봄날엔 도시락을 싸서 할머니와 숲으로 피크닉을 갔고 해가 쨍쨍하고 무더운 날씨가 계속되는 여름날에는 그간 밀렸던 이불 빨래도 했고 가을엔 잼도 담그고 겨울엔 트리도 꾸미며 우리만의 추억을 쌓았다. 13년 동안 소중하고 아름다운 추억들이 정말 많지만 할머니와 나에게 가장 소중한 추억은 매년 크리스마스 시즌 함께 트리를 꾸미고 맛있는 파스타와 스프를 만들어 먹으며 난로 앞에서 따뜻하고 포근한 겨울날을 보내는 것이었다.

그날도 나는 지금까지 그래왔듯 크리스마스 시즌이 되자 창고 깊은 곳에서 트리를 꾸밀 장식품들을 꺼내왔다. 그런데 난로 앞에 있어야 할 트리가 없는 것이다. 항상 트리는 할머니께서 꺼내 놓으셨는데 어찌 된 일인지 난로 앞에는 원래 있던 커다란 곰돌이 인형만이 자리해 있었다.

"할머니, 트리는요?"

"응? 트리?"

주방에서 바질 페스토를 만들던 할머니께서 대답하셨다.

"네. 우리 크리스마스마다 꾸미는 큰 트리 있잖아요. 아직 안 꺼내셨어요?"

"어머! 내 정신 좀 봐…. 아무래도 깜빡한 것 같구나. 지금 당장 꺼내 놓으마."

'이상하다. 한 번도 이런 적이 없으셨는데…'

매년 한번도 빠짐없이 이맘때 트리를 꺼내 놓으시던 할머니께서 트리를 꺼내 놓으시지 않으니. 나는 무언가 마음에 걸리는 심정을 감출 수 없었다. 그날까지만 해도 그냥 깜빡하셨겠거니 하고 별생각 없이 넘겼다. 하지만 평범했던 우리의 일상에 자꾸만 이런 일들이 생겨났다.

크리스마스가 지난 지 2주쯤 후 1월 초 어느 날. 나는 이른 아침부터 산에 갈 준비를 했다. 할머니와 나는 내가 4살쯤 되던 해부터 매년 밤으로 밤조림을 만들어 왔다. 그날도 산에 갈 준비를 마치고 1층으로 내려갔는데 거실에 할머니가 보이지 않았다. 지금쯤이면 주방에서 바쁘게 유리병을 소독하고 설탕을 준비하고 계셔야 할 할머니께서는 주방에 보이시지 않고 주방에는 한겨울 찬 공기만이 맴돌 뿐이었다. 이상하다 싶어 할머니 방에 들어가 보니 일어나실 시간이 한참 지나셨음에도 아직까지 할머니께서는 주무시고 계셨다. 나는 이게 웬일인가 싶어 할머니를 깨웠다.

"할머니. 일어나보세요."

"응…. 그래 프레이아야 무슨 일이니?"

할머니는 정말 아무것도 모르신다는 듯이 비몽사몽 목소리로 물으셨다.

"할머니, 우리 오늘 밤 주우러 가기로 했잖아요."

그러자 할머니께서 화들짝 놀라시며 말씀하셨다.

"어머나! 내가 또 깜빡했구나…. 미안해서 어쩌니. 얘야…. 이 할머니가 얼른 준비하마."

할머니께서는 벌떡 일어나셔서 서둘러 산에 갈 준비를 하시기 시작하셨다. 그렇게 우리는 산으로 밤을 주우러 출발했고 집으로 돌아와 밤조림을 만든 뒤 고단했던 하루를 마무리했다. 그렇게 그 날도 별일이 아닐 거라 믿고 잠이 들었다.

이 일들이 있고 난 뒤에도 할머니의 이러한 작은 실수들이 이어졌다. 매년 여름이 시작되는 6월 중순 항상 해오던 이불 빨래도 시기를 놓치고 두 달마다 갈아주던 아라우카리아의 화분을 갈아주시는 일도 잊어버리시곤 하셨다. 이러한 일들이 자꾸만 생겨나자 나는 걱정되는 마음보다 무언가 이상하다는 생각이 앞섰다. 한 번도 이런 실수를 한 적이 없으셨던 할머니께서 매년 해오시던 일들을 깜빡하시고 잊어버리시니 나는 무언가 이상하다는 생각이 자꾸만 들었다. 항상 하시던 일들을 잊어버리시는 일들뿐만 아니라 지난 13년간 나와 함께했던 추억들마저 하나둘씩 잊어가시는 할머니를 보니 한편으론 걱정이 되었지만 다른 한편에서는 서운함과 속상함이 마음의 절반 이상을 채워갔다. 봄가을마다 둘만의 소중한 추억을 쌓기 위해 떠났던 소풍도 깜빡 잊으시고 시기를 놓친 일이 벌써 2년째이다. 매년 겨울이 시작되기 전 뜨개질을 하며 영화를 보고 수다를 떨던 소소한 행복이자 추억마저 잊어버리시기 일수였다. 처음엔 마냥 서운하기만 했고 속상하기만 했다. 하지만 할머니께 자꾸만 이런 일이 일어나니 서운함과 속상함은 점점 걱정과 우려로 바뀌어 갔다.

이게 어쩐 일인지…. '지금 할머니께 무슨 일이 생기고 있는 것은 아닐까?' 하는 마음에 일주일 밤낮을 고민하고 또 생각하느라 잠도 제대로 자지 못하였다. 매일 아침 함께 식탁에 앉아 베이글 식사를 하는 것도 소소하고 행복한 일상의 조각이었는데 할머니만 보면 왜인지 모르게 가슴 한편이 저려 오고 자꾸만 눈물이 날 것 같았다. 어느 순간부터 그렇게 좋아하고 행복했던 아침 식사 시간마저 피하기 시작했다. 아침 식사도 피하고 둘이서 자주 보내던 시간도 점점 피하기 시작하니 내 일상에 너무나 큰 변화가 생겼다. 그동안 나의 힘듦과 행복을 나누던 시간이 없어지고 행복과 즐거움을 찾던 시간들이 사라지니 방에만 있게 되고 우울함과 무기력함이 나를 온전히 집어삼켰다. 나는 원래 이런 사람이 아닌데 나는 충분히 이겨내고 극복해낼 수 있는데 너무 이 현실을 피하고 회피하려는 것이 아닐까 하는 생각에 급기야 저녁마다 눈물을 흘리기까지 하였다. 더 이상 이대로는 안 되겠다고 생각했다. 이 현실을 무조건 피하고 회피하려고 했다가는 이 상황이 '나빠지면 더 나빠졌지 예전으로 돌아갈 수는 없겠구나.' 생각했다.

그 순간이었다. 지금의 나를 만든 순간이. 그때 내 머릿속을 스쳐간 짧은 생각.

'피할 수 없다면… 할머니의 상태가 지금보다 악화된다면?'

그 순간 결심했다. 내가 이 상황을 막아야겠다고. 할머니의 기억을 되찾고 기억을 점차 잃어가시는 것을 멈추려면 내가 무엇을 해야 할까.

나는 그 길로 연구에 빠져들었다. 그날부터 다락방 낮은 책상에 앉아 사흘 밤낮을 새는 것은 기본, 밥도 식빵에 딸기잼으로 간단히 먹어가며 연구에 매달렸다. 내가 이렇게까지 했던 이유는 단 하나였다. 바로 할머니의 기억상실을 멈추는 것. 오직 이 하나의 목표만을 바라보고 그 험난한 길을 걸어왔고 지금에 이르렀다. 이 칩을 발명해 내는 데 수많은 방해와 어려움을 받고 겪어왔다. 이제 칩 발명을 성공하고 다시 일상으로 돌아온 것에 너무나 감사하다. 여기까지 오는데 가시밭길을 걷는 것 같은 힘듦과 고통을 주었던 이들도 있었기에 지금 이날들이 더욱 소중하게 다가온다. 지금 이날들에 만족하고 너무나 감사하지만 자꾸만 이런 생각에 잠긴다. 그를 만나지 않았더라면… 여기까지 오는 과정이 조금은 더 수월했을까?

3년 전 나는 할머니를 위해 칩을 발명하기로 했다. 칩을 발명하기 위해서는 아주 작은 사이즈의 필름과 마이크로SIM이 필요했다. 6개월이라는 긴 시간 동안 0.00015mm 나노 심은 만들어 냈지만 필름은 내 힘으로 만들기에는 무리였다. 그래서 밤을 새가며 이 필름에 대해 알아보기 시작했고 수소문 끝에 PR제약회사의 크리스박사라는 사람을 알게 되었다. 나는 그를 찾아가 도움을 청해야겠다고 생각했다. 'PR제약회사'는 아무도 고치지 못하던 에르마 바이러스의 백신을 만듦으로써 사람들의 이목을 집중시켰던 영국 최고의 제약회사이다. 하지만 회사 위치를 비밀로 하고 있어 크리스박사를 찾아가기가 쉽지 않았다. 그래서 결심했다. 그에게 편지를 쓰기로.

내가 필요한 것은 칩에 삽입될 0.0002mm 정도의 작은 필름이었고, 크리스박사에게 그 필름이 있다는 사실은 매주 배달오던 신문을 통해 알게 되었다. 기사가크게 난 것은 아니었지만 내 눈에는 그 기사만이 들어왔다. 크리스 박사는 인터뷰에서 현재 알츠하이머 치료법을 발명 중이라 밝혔고, 이미 전 세계에서는 알츠하이머 치료법을 두고 많은 사람들이 경쟁 중이었다. 크리스 박사는 이 필름과 마이크로SIM만 있다면 알츠하이머 치료법 개발을 성공적으로 마치고 회사의 대표 자리를 차지할 수 있었다. 그래서 그는 수단과 방법을 가리지 않고 발명에 모든 관심과 노력을 쏟았고 마침내 필름을 개발하는 데 성공했다. 이제 남은 것은 마이크로 SIM 발명뿐이다. 하지만 필름을 개발하는데 모든 힘과 노력을 다 써버린 크리스 박사는 SIM 발명의 진도를 나갈 수 없었다. 그는 오랜 시간 고민에 빠졌다.

'어디 좋은 방법이 없을까…'

다른 경쟁회사의 인재들이 크리스 박사의 뒤를 바짝 쫓아오는 상황을 가만히보고만 있을 수 없었던 그때. 크리스 박사는 본인 앞으로 온 편지를 한 통을 받는다. 그는 자신 앞으로 온 편지는 처음이라 의아해하며 편지를 읽기 시작했다. 편지의 내용은 이러했다.

To. 크리스 박사님

안녕하세요. 박사님. 저는 포리오 마을 뒷산에 사는 프레이아라고 합니다. 필름을 발명해내셨다는 기사 잘 봤습니다. SIM을 필요로 하고 계시다는 말씀도 잘 보았고요.

SIM을 필요로 하고 계시다면 제가 도움이 드릴 수 있을 것 같은데 저와 힘을 합해 보시는 게 어떠신가요? 저는 SIM 발명에 성공했습니다. 저 역시 필름만 있다면 제가 원하는 것을 얻을 수 있습니다.

연락 기다리겠습니다.

FROM. 프레이아 올림

크리스 박사는 깊은 고민에 빠졌다. 이 소녀와 손을 잡게 되면 자신이 그토록 원하는 심을 얻고 발명을 성공해 낼 수 있다. 하지만 최종 발명 기록에는 공동개발로 기록되어 발명 성공에 대한 이익을 나눠 가져야 하고 회장이 이 소녀의 천재성을 알아보고 회사의 작은 지분이라도 줄지 모르는 일이었다. 크리스 박사는 한참을 고민한 뒤 문득 좋은 생각이 하나 떠올랐다.

'내가 이 소녀를 잘 이용하면 모든 이익을 내가 가질 수 있지 않겠어? 그래 바로 그거야.'

크리스 박사는 곧장 소녀에게 연락했다.

"자네를 만나보고 싶은데 내일 당장 시간 되나?"

프레이아는 기뻐하며 흔쾌히 내일 회사로 가겠다고 했다. 다음날, 프레이아는 아침 일찍 크리스 박사를 찾아갔다. 두 사람은 마주 앉아 이야기를 시작했다.

"자네도 알다시피 나는 SIM을 원하고 있네. 자네는 필름을 원하는 것이고, 맞지?"

"네. 맞습니다."

"나는 다음 주까지 발명서를 제출해야 하네. 그러니 자네가 먼저 나에게 SIM을 주었으면 하는데 어떤가?"

"저는 서로 같은 시간에 같은 공간에서 맞바꿈을 하였으면 합니다. 제가 지금 당장은 박사님을 신뢰하고 따를 수는 없으니까요." 크리스 박사는 당황한 기색을 숨길 수 없었다.

'쉽지 않은 소녀군….'

크리스 박사가 다시 말했다.

"알겠네. 그럼 오늘은 이만 돌아가고 다음에 다시 이야기하는 걸로 하지."

크리스 박사의 말을 끝으로 그들의 첫 만남은 마무리되었다. 크리스 박사와의 첫 만남 이후 프레이아는 집으로 돌아와 필름 개발을 시작했다. 아무래도 크리스 박사와 생각을 맞추는 것은 어려워 보였기 때문이다. 혼자서 뭐라도 해 보자는 생각으로 시작했고 걱정했던 것보다 훨씬 진행이 잘되었다.

그렇게 순조롭게 발명을 이어가던 어느 날 새벽. 프레이아는 잠결에 방 안에서 부스럭거리는 소리에 살며시 눈을 떴다. 할머니께서 잠시 들어 오셨겠지 생각하고 다시 잠이 들려고 하는데, 방안의 광경이 눈에 들어왔다. 검은 옷으로 온몸을 무장한 남성이 방 안을 뒤집어엎고 난리를 피우고 있는 것이었다. 방은 이미 전쟁터처럼 어지럽혀져 있었고 물건들이 온 방 안에 나뒹굴고 있었다. 프레이아는 너무 놀란 나머지 소리를 지르며 벽 쪽으로 물러났다. 그러자 괴한은 화들짝 놀라며 있는 힘껏 밖으로 뛰쳐나갔다. 프레이아는 괴한이 나간 뒤에도 한참을 멍하니 어지럽혀진 방안을 바라보았다. 프레이아의 소리에 놀란 할머니께서 2층으로 올라오셔서 프레이아에게 무슨 일이냐고 물을 때까지 프레이아는 아무것도 하지 못하고 그저 방 안만 바라볼 뿐이었다. 할머니께서 프레이아를 꼭 안아주며 괜찮다고 말씀해주시자 그제서야 프레이아는 정신이 들었다. 하지만 정신이 들자마자 난장판이 된 책상이 눈에 들어왔다.

"아! 내 SIM과 필름!!"

발명 중이던 필름과 서랍 깊은 곳에 보관 중이던 SIM이 떠올랐다. 프레이아는 서둘러 책상으로 가서 책상 위를 살폈다. 조금 어지럽혀져 있긴 했지만, 필름은 무사했고 서랍 깊은 곳에 있던 심도 멀쩡했다. 프레이아는 한숨 돌리자마자 문득 생각이 들었다. '그 남자는 도대체 왜 내 방을 이렇게 만들었을까. 설마…?'

사실 며칠 전 크리스 박사에게 편지가 한 통 왔다. 자신에게 SIM을 넘기라는 내용이었다. '이젠 부탁도 아니고 대놓고 달라고 하는구나.'라는 생각에 프레이아는 헛웃음이 났다. 프레이아는 그 편지를 못 본 척 무시했고 크리스 박사의 그러한 편지는 계속되었다. 그럴 때마다 프레이아는 무시로 답했고 크리스 박사는 마지막 편지에서 의미심장한 말을 남겼다.

"자네가 순순히 줄 수 없다면 내가 어떻게든 받아내는 수밖에…"

프레이아는 처음엔 찝찝하고 무서웠지만 한 달이 넘는 시간 동안 아무런 일도 일어나지 않자 더 이상 신경 쓰지 않고 필름 개발을 이어갔다. 마지막 편지를 받고 두 달쯤 지난 오늘 괴한이 들이닥친 것이다. 괴한이 들이닥친 뒤 다행히 없어진 것들은 없었지만 유난히 어지럽혀진 책상을 보아 크리스 박사가 보낸 사람이 아닐까 생각이 들었다. 이 일이 있고 난 뒤 프레이아는 필름 발명에 박차를 가했다. 더 이상 시간을 들였다간 정말 크리스 박사에게 SIM을 빼앗길 것 같아서였다. 그리고 크리스 박사의 진짜 속내를 알아버린 이상 더 이상 시간을 지체할 수 없었다. 무슨 일이 있어도 자신이 먼저 발명을 성공해야 한다는 생각에 프레이아는 마음이 급해졌지만, 끝까지 침착하고 신중하게 발명에 임했고 드디어 필름 발명을 성공해냈다. 그토록 기다려왔던 순간이었기에 프레이아는 감히 상상할 수 없을 만큼의 행복을 느꼈다. 이 순간이 오기까지 얼마나 크고 작은 위기들이 많았는가. 고생도 할 만큼 했고 힘들 만큼 힘들었기에 더욱 값지고 소중한 성공이었다.

프레이아는 이 필름과 심을 이용해 알츠하이머 치료가 가능한 칩을 만들었고 발명 후 기자회견에서 이렇게 말했다.

"3년 전 할머니께서 기억을 하나, 둘 잊어가신다는 사실을 알게 되었습니다. 저와 함께했던 추억들을 잊어가시는 할머니의 모습을 보고만 있을 순 없었습니다. 나중에는 모든 추억들을 잊게 되실까 두렵기도 했습니다. 그래서 겁도 없이 이 칩 개발을 시작했습니다. 그저 마을 뒷산에서 할머니와 단둘이 살아가던 저는 발명에 대해 아는 것이 거의 없었습니다. 그저 필라멘트에 관한 작은 지식만이 전부였고 이런 칩에 대해서는 아는 것이 전혀 없었기에 처음 시작했을 땐 정말 그야말로 앞이 깜깜했고 괜히 시작했나 그냥 포기할까도 생각했습니다. 하지만 어느 날, 할머니께서 저와 매년 함께 가던 뒷산 봄 소풍을 기억하지 못하셨습니다. 할머니께서 일 년 중 가장 기다리시는 날들 중 하루인데 준비를 모두 마친 저를 보고 오늘 어디 가는 날이냐며 옷이 잘 어울린다고 웃으시며 말씀하시던 할머니를 보고 하염없이 눈물을 흘렸습니다. 그날 이후 저는 결심했습니다. 무슨 일이 있어도 어떻게 해서든지 이 발명을 성공해 내겠다고. 그렇게 끊임없이 노력하고 힘을 내서 열심히 발명을 이어간 결과 오늘 이렇게 여러분들 앞에 이 알츠하이머 치료용 칩 'Ahm-23'을 선보일 수 있게 되었습니다. 물론 여기까지 올 때까지 위기와 어려움이 없었던 것은 아닙니다. 먼저 발명에 성공했던 SIM을 빼앗길 뻔하기도 했고 필름 발명을 포기할 뻔하기도 했었습니다. 하지만 오직 할머니를 위해 이겨냈고 극복했습니다. 그랬기에 이 자리까지 올 수 있었던 것이죠. 이제 저는 더 이상 원하는 것이 없습니다. 제게 가장 소중한 할머니의 알츠하이머를 치료하는데 성공했고 다시 평범한 일상으로 돌아왔기 때문입니다. 제가 마지막으로 바라는 것이 있다면 이 칩이 더 널리 퍼져서 더 많은 분들이 알츠하이머를 치료받으시는 것입니다."

많은 사람들이 프레이아의 인터뷰를 보고 눈물을 흘렸고 칭찬과 존경의 박수를 보냈다. 프레이아 역시 자신에게 아낌없는 칭찬과 박수를 보냈다. 칩 발명 이후 프레이아는 다시 일상으로 돌아와 기억을 다시 되찾은 할머니와 함께 평범하고 행복한 날들을 보냈다. 다시 매년 봄이면 포리오 마을 뒷산으로 할머니와 함께 만든 맛있는 도시락과 함께 소풍을 떠났고 여름이면 이불을 함께 발로 밟아가며 빨래를 했고 가을엔 산에서 밤을 주워다 함께 밤조림을 만들고 잼도 만들었다. 첫눈이 소복하게 쌓인 겨울날에는 창고에서 잠들어있던 트리를 꺼내어 형형색색 반짝반짝 예쁘게 꾸몄다. 프레이아는 오랜만에 돌아온 평범한 일상을 하루하루 살아가며 그동안 느껴보지 못했던 가슴 깊은 곳에서 느껴지는 감사함과 소중함을 느꼈다. 가끔 텔레비전에서 자신이 만든 칩으로 알츠하이머가 치료된 사람들의 이야기를 보면 뿌듯함과 감사함에 그동안 고생하고 힘들어했던 시간들은 다 잊혀졌다. 이제 프레이아는 더 이상 바랄 것 없이 행복한 나날들을 보내고 있다.

이렇게 행복한 프레이아는 여느 때와 다름없이 할머니와 즐겁고 행복한 아침 식사를 마친 뒤 난로 앞 트리 옆에 앉아 신문을 읽고 있었다. 그러다 눈에 띄는 기사를 하나 발견했다. 제목은 'PR 제약회사 크리스 박사, 결국 끝을 맺나'였다. 무슨 말인가 싶어 기사를 읽어보니 크리스 박사는 필름 발명 이후 SIM 발명에 돌입했으나 회사의 내부 분열로 인해 실패하였다. 또 다시 SIM 발명을 시작했으나 심 발명 과정에서 국가 불허가 제품을 밀반입한 사실이 발각되어 또다시 실패를 맞이하고 결국 평생 동안 뼈를 묻어온 자신의 회사에서 물러난다는 내용의 기사였다. 기사를 본 프레이아는 4년 전 그날을 떠올리며 혼잣말을 했다.

'누구나 나쁜 일을 하면 그만큼의 벌을 받고 착한 일을 하면 그만큼의 보상을 받는 법이지.'

프레이아는 알츠하이머뿐만 아니라 다른 여러 질병들의 치료법을 개발하며 할머니와 행복한 일상을 살아가고 있다.

혹시 아니요? 프레이아가 포리오 마을 뒷산 오두막집에서 할머니와 굽는 쿠키가 우리의 미래가 될지.

제 5 화 권 필 상 과 두 만 욱

김 경 민 , 전 지 현

#1.

친환경 마을에서 마을 사람들은 도란도란 화목하게 살고 있었다.

"허허, 오늘 날씨가 아주 좋구만."

"여, 김서방. 어제 장사는 잘 됐는가?"

"뭐. 항상 똑같제."

마을 사람들 중 어떤 한 가족이 있었다. 이 가족의 아빠는 과학자이고, 이름은
서태유이다. 서태유는 주로 유전자 재조합을 연구한다. 하지만 이 연구는 번번이
실패로 이어졌다.

"하, 이번 실험도 또 실패했네."

"박사님 쉬어가면서 하세요."

"고맙네. 장 연구원, 자네 덕분에 내가 힘이 나네."

또, 마을 사람 중 혼자 사는 젊은 청년인 권필상 씨가 있다. 권필상 씨는 친환경
마을에서 평범하게 살고 있는 주민이다. 에너지원을 사고 파는 친환경 마을 환경
에서 권필상 씨는 돈이 많지 않다.

"하, 도대체 이 많은 일을 언제 다 해. 돈 버는 게 쉬운 일이 아니네."

"필상 씨, 여기 와서 이것 좀 봐줘."

"네네. 잠시만요. 지금 바로 갑니다."

필상 씨의 월급날.

"하. 이번 달 월급도 턱없이 부족한데. 이 적은 돈으로 지원도 안 해주는 이딴 개같은 마을에서 한 달을 어떻게 버틴담. 조금이라도 에너지원을 지원해주면 좋으련만."

권필상 씨는 돈이 없어 에너지원을 사용하지 못한다는 점에서 차별을 받았다. 그래서 돈이 없어도 에너지원을 제공해주는 다른 마을로 이사를 갔다.

"아휴, 돈 없는 사람들에게 에너지원을 제공해주지 않는 이런 거지같은 마을에 다시 또 오나 봐라. 쯧쯧."

#2.

필상 씨가 마을을 떠난 후 친환경 마을에서 홍수, 지진, 가뭄, 산사태, 절도 범죄, 강력범죄 등과 같은 재해와 범죄가 더 자주 일어났다.

"아이고. 이번 해도 가뭄이여? 어떻게 비가 오는 날이 없어 땅바닥 다 마르것어!"

"이번 농사도 망했네. 망했어. 농사가 이렇게 안 되면 대체 뭘 먹고 살어."

"김서방네 밭은 괜찮어?"

"비가 오질 않는데. 괜찮것어? 아주 빠싹 말라가지고 수확할 것도 없것어!"

날이 갈수록 마을에서 일어나는 재해와 범죄는 점점 심해졌다.

"야. 이 년아. 돈 내놔!! 안 내놔?! 쏴 버리기 전에 당장 있는 돈 다 꺼내!"

"가지고 있는 돈이 이게 전부에요. 살려주세요."

"뭘 봐. 새끼야! 죽고 싶어!"

"꺅! 강도다! 강도가 나타났다!"

전부터 쭉 친환경 마을에 일어나는 모습을 지켜보던 서태유 박사는 수차례 실패했던 유전자 재조합 연구에 더욱 열중하였다. 밤을 새워가며 연구에 열중한 서태유 박사는 마침내 유전자 재조합 연구로 인간 로봇 히어로인 두만욱을 만드는 데 성공하였다.

'마지막이다 생각하고 최선을 다 하는 거야! 넌 할 수 있어. 서태유!'

"헉! 서..성공이다! 장연구원! 드디어 성공했어!!"

"정말요? 박사님 축하드려요!"

"이제 우리가 마을의 영웅이 되는 거야!"

"삐리릭 삐릭 삐-리-리릭- 우..리는 영..우..ㅇ…영웅 입력 완료."

서태유는 연구에 성공하여 두만욱과 함께 마을에서 일어나는 각종 재해와 범죄를 모두 처리하였다.

"강도가 나타났어요! 도와줘요. 두만욱!"

"강도-."

"아 씨. 이 깡통 로봇은 또 뭐야. 저리가. 깡통 새끼야! 악! 으윽.으억."

"처리 완료."

"오늘도 친환경 마을을 지켜주셔서 감사합니다!"

두만욱의 등장으로 친환경 마을은 잠시 동안 안정을 되찾았다. 마을 사람들은 히어로 두만욱에게도 고마워했고 그를 만든 서태유 박사에게도 고마워했다. 서태유는 마을이 안정을 찾아 잘 돌아가는 모습을 보고 뿌듯함을 느꼈다.

#3.

그 누구보다 친절하고 따뜻했던 권필상 씨, 이제는 사람들을 미워하고 마을이 사라졌으면 하는 부정적인 마음을 갖게 된다. 권필상 씨가 마을을 떠난 뒤 친환경 마을과 떨어진 다른 에너지원 마을로 갔다.

"두고 봐. 모든 걸 되갚아주겠어."

권필상은 다른 에너지원 마을로 갔지만 그 마을은 에너지원이 부족했다. 그래서 권필상 씨는 마을 사람들을 도와주게 된다. 권필상 씨가 마을 사람들을 도와 에너지원 마을이 온전해졌다. 이제야 마을이 안심된 권필상 씨는 동굴에 들어가 열심히 운동을 하며 힘을 키워간다. 힘을 키움과 함께 에너지원을 훔칠 작전을 치밀하게 계획한다.

며칠 뒤.

모두가 잠든 늦은 새벽, 권필상 씨는 친환경 마을로 몰래 들어가서 에너지원을 훔치고 그 자리에서 전기 에너지원과 물 에너지원을 마신다. 에너지원을 마시고 전기, 물 속성을 갖게 된다.

이때 친환경 마을에서 쓴 에너지원은 총 10개였는데 권필상 씨는 2개는 자신이 마시고 2개는 사람들이 드문 외진 곳에 숨겨뒀다. 그리고 나머지 하나는 마을 사람들을 놀려주기 위해 자신이 갖고 도망치기로 했다.

대부분의 마을 사람들이 일어나자마자 멘붕에 빠졌다. 가스도, 물도 나오지 않고, 밥을 먹으려 했으나 전기 자체가 사라져 아무것도 할 수 없는 상황이 되었다.

"뭐야? 물이 안 나와. 하룻밤 사이에 이게 무슨 일이야."

"워매. 이게 무슨 마른 하늘에 날벼락이여! 시방 지금 우리 집 전기 도둑 맞은 거?"

모두가 어떻게 해야될 지 몰라 깊은 생각에 잠겨 있었다. 바로 그때, 친환경 마을에 사는 유일한 외국인인 브라이언 씨가 먼저 입을 뗐다.

"자, 모두들 진정하시고 여길 주목해주세요! 일단 에너지원이 저장된 장소로 가봐요."

사람들은 브라이언 씨의 말을 듣고 다 같이 에너지원이 저장된 장소로 향하였다. 에너지원이 저장된 방을 열어보니 원래 있어야 할 에너지원 일부가 사라져서 남은 5개의 에너지원으로 생활해야 했다.

"지금 이게 무슨 상황이여? 여기 있어야 할 에너지원이 어디 갔어. 설마 에너지원에 발이 달린겨?"

"그게 말이여 방구여?"

그 때, 브라이언 씨가 말했다.

"에너지원에 발이 달린 게 아니라 누군가가 에너지원을 훔쳐 간 것 같아요. 혹시 마을 사람들 중 짐작가는 사람이 있나요?"

사람들은 모두 의아하며 지금까지의 과거 모습들을 쭉 되돌아보았다. 생각하던 중 친환경 마을과 마을 사람들에게 앙심을 품을 만한 사람이 떠올랐다. 사람들은 하던 생각을 멈추고 한 두 명씩 말을 꺼내기 시작했다.

"흠…. 그리고 보니 우리 친환경 마을은 돈이 있어야 에너지원을 쓸 수 있잖아요."

"네 그렇죠, 우리는 모두 행복하게 돈으로 에너지원을 사서 편하게 쓰고 있었는데, 권필상 씨는 돈이 없어서 에너지원을 사용할 수 없지 않았나요?"

"맞아요. 그리고 돈이 좀 부족하단 이유로 필상 씨를 무시하기도 했고요."

사람들은 그제야 자신들의 잘못을 인정하고 권필상 씨에게 미안해지기 시작하였다.

"그 총각 볼 때마다 밝고 친절하게 대해줘서 몰랐는디, 속으로는 상처도 받고 혼자 많이 힘들었을겨."

"그러게 말이에요. 이사 갈 때라도 알아주고 도와줬어야 했는데. 우리가 필상 씨에게 너무 무관심했던 거 같아요"

그동안 돈이 없다는 이유만으로 사람들에게 차별과 무시를 받아온 권필상 씨. 사람들은 그를 무시하고 차별했을 때 권필상 씨는 어떤 마음이었을지 헤아려보기 시작했다. 이들이 말하는 것을 하나하나 다 듣게 된 브라이언 씨는 잠시 생각에 잠겼다.

"제가 다 들어봤는데 일단, 권필상 씨가 친환경 마을의 에너지원을 훔친 것 같네요."

　사람들은 큰 충격에 빠졌다. 그렇게 착하고 밝았던 권필상 씨를 본인들이 악당으로 만들었다는 생각에 사람들은 잠시 동안 말을 잇지 못했다. 이 상황을 지켜보던 브라이언 씨는 조심스레 입을 때 말을 했다.

　"음. 그럼 지금은 마을의 에너지원을 찾으러 가야 되니까. 제가 교통수단인 우주선을 만들어볼게요."

　알고 보니 브라이언 씨는 우주선을 좋아하고 많이 연구한 우주선 박사였다. 마을 사람들은 브라이언 씨가 우주선을 만들어본다고 했을 때 갑자기 뜬금없다고 생각을 했다.

　하지만 브라이언 씨는 정말 우주선에 관하여 모르는 게 전혀 없었다. 사람들은 하나, 둘, 브라이언 씨를 우주선 박사로 인정해주었다. 그리고 브라이언 씨가 힘들어하지 않게 옆에서 조금씩 도와줬다. 브라이언 씨는 매일매일을 우주선 만드는데 열중하였다.

　다음 날.

#4.

　"드디어 완성됐어!"

　마침내 브라이언 씨는 우주선을 다 만들었다. 사람들은 환호했다.

　"이제 우주선을 타고 악당을 찾으러 갈 사람이 필요한데."

　수많은 사람들 중, 유독 눈에 띄는 소녀가 있었다. 브라이언씨는 그 소녀를 불러 물었다.

　"너는 이름이 뭐니?"

　"서유정이요."

　"몇 살이니?"

　"18살이에요. 근데 저한테 그건 왜 물어보세요?"

소녀는 의아하기 시작했다.

"혹시 우주선을 타본 적이 있니? "

"어릴 적 아버지와 몇 번 타본 적은 있어요."

브라이언 씨가 소녀에게 물었다.

"무섭겠지만, 우리 마을의 에너지원을 찾으러 가줄 수 있겠니?"

"네, 좋아요. 제가 갈게요."

모든 일이 순탄하게 진행되었다.

몇 시간 후.

브라이언 씨는 긴장되어 보이는 소녀에게 물었다.

"조금 긴장되지?"

소녀가 답했다.

"아니요. 괜찮아요."

"만들어진 로봇 두만욱이 조수로 따라서 갈 테니까, 너무 걱정하지 말거라."

얼마 지나지 않아 소녀와 두만욱이 탄 우
주선이 출발했다. 사람들은 소녀가 걱정되는
마음과 응원하는 마음으로 조심히 돌아오라
고 배웅해주었다.

"그런데요, 아저씨. 에너지원이 3개라던
데. 그 3개를 어떻게 찾아야 될까요?"

소녀는 의문이 들었다.

"그러게요. 3개를 다 악당이 가지고 있지
는 않을 것 같아요."

이어서 소녀가 물었다.

"음. 그렇지만? 3개 다 악당이 가지고 있을 수도 있는 거잖아요."

두만욱과 소녀 사이에 작은 의견 충돌이 일어났다. 두만욱은 소녀를 이해해주었다. 하지만, 소녀는 두만욱을 이해하지 못했다. 두만욱이 소녀에게 웃으며 말했다.

"보통 악당이 다 가지고 있지는 않을걸요? 분명 다른 곳에 1~2개 정도는 숨겨놨을 거예요."

소녀는 두만욱이 자신을 이해해준다는 걸 깨달았다. 소녀는 두만욱을 어려워했지만, 이제는 두만욱을 믿고 따르게 되었다. 소녀와 두만욱은 악당 권필상 씨의 대한 이야기를 하면서 첫 번째 장소에 도착했다.

첫 번째 장소는 폐교이다. 10년 전에 폐교하여 낡고 외진 곳이다. 낡은 공간이라 에너지원이 있을 것 같다는 생각을 한 두 사람은 먼지 한 톨도 안 남을 정도로 샅샅이 찾았다. 하지만 폐교에는 낡은 물건들과 먼지만 가득했을 뿐 에너지원은 나오지 않았다.

첫 번째 장소인 폐교는 워낙 큰 학교여서 두 사람은 이미 지칠대로 지쳐 있었다. 첫 번째부터 허탕을 친 두 사람은 단서도 없이 앞으로 에너지원을 어떻게 찾을까 막막했다. 타고 온 우주선으로 돌아가던 중 깊은 산 속에서 광선이 보였다.

"저기는 산속 깊이 발전소가 위치한 자리인데?"

소녀는 산속 깊이 위치한 발전소에서 왜 빛이 보이는지 궁금했다.

"산속에 발전소가 있어요?"

만들어진 로봇 두만욱은 발전소가 뭔지 몰랐다.

두만욱이 소녀에게 물었다.

"근데 발전소가 뭐예요?"

"음. 제가 알고 있는 건 다양한 에너지를 이용하여 전기 에너지로 바꾸는 곳으로 알고 있어요."

두만욱은 발전소를 궁금해하기도 하고 가보고 싶어 했다.

"갑자기 빛이 나는 것도 수상한데 우리 저기 산으로 가볼까요?"

산속 깊이 있는 발전소에서 갑자기 빛이 보여 단서라고 느낀 두만욱은 소녀와 함께 산으로 갔다.

그렇다. 두 번째 장소는 바로 산속 깊이 위치한 발전소이다. 이제 산에 올라가기만 하면 되는데 두만욱과 소녀는 산의 가파름을 보고 놀랐다. 그래도 친환경 마을의 에너지원을 생각하면서 올라갔다. 소녀는 올라가면서 이번에는 산까지 탔는데 없으면 진짜 짜증 날 것 같다는 생각을 하면서 올라갔다.

다행히도 발전소에는 전기 에너지원이 있었다. 이 에너지원으로 인해 발전소의 빛이 날 수 있었던 것이다. 두만욱과 소녀는 두 번의 모험 끝에 권필상이 숨겨놓은 첫 번째 에너지원을 찾았다. 두 사람은 처음에는 막막하고 답답했다.

하지만 첫 번째의 전기 에너지원을 찾게 되어 나머지 에너지원도 찾을 수 있겠다는 희망을 가지게 되었다. 기쁜 마음도 잠시, 다른 에너지원도 찾으러 우주선을 탔다. 아무런 단서도 없어서 그냥 좀 인적 드문 곳 또는 낡고 외진 곳을 돌아다녔다.

우주선을 타고 이곳저곳 다니던 중, 소녀의 눈에는 친환경 마을에 유일하게 하나 있는 지하철역이 들어왔다. 두만욱과 소녀는 계속 생각했던 것과 달리 사람도 많고 외진 곳에 위치한 곳도 아니었지만 지하철역은 복잡해서 에너지원을 숨기기 적합한 장소라는 생각이 들었다.

결국 지하철역 앞에 우주선은 정차하였고 소녀와 두만욱은 에너지원을 찾으러 다녔다. 쉽지는 않았다. 다른 장소와 달랐기 때문에 사람도 많았고 시끄럽고 워낙 복잡해서 찾기 어려웠다. 두 사람은 사람들의 발소리가 드문 좁고 외진 공간에서 두 번째 에너지원인 불 에너지원을 찾았다.

우주선으로 돌아가 소녀는 에너지원을 계속 찾으러 다니기에는 시간이 부족하다고 느꼈다. 같은 생각을 가지고 있던 두만욱은 권필상 씨가 우리에게 바라는 점, 우리에게 어떻게 복수해 주고 싶어 하는지를 생각했다.

두 사람은 과거의 권필상 씨가 되어보기로 했다.

"권필상 씨를 솔직히 우리가 무시하고 차별한 건 맞잖아요."

소녀가 먼저 얘기를 꺼냈다.

"저는 권필상 씨에게 어떤 일이 있었는지, 그리고 현재인 지금은 권필상 씨에게 어떤 일들이 일어나고 있는지 몰라요."

권필상 씨의 상황은 모른 채 갑자기 에너지원을 찾으러 다닌 두만욱은 권필상 씨의 마음이 어떤지 몰랐다. 이번에는 소녀가 그런 두만욱을 이해해주었다.

"두만욱 씨는 모르실 수 있어요. 근데 만약에 제가 그런 상황에 처했다면 권필상 씨가 힘들어했던 만큼 똑같이 마을 사람들을 힘들게 하고 싶어 할 것 같아요."

"생각해보니 우리가 다녔던 첫 번째 장소부터 지금의 장소까지 다 찾기 어렵고 산 같은 경우는 체력적으로 힘든 장소였네요."

권필상 씨의 마음과 계획을 파악한 소녀는 고민했다.

"음. 일단 두 개의 에너지원은 다 찾았는데 나머지 하나는 권필상 씨가 또 찾기 어려운 곳에 숨겼을까요? 아니면 저희를 힘들게 하려고 가지고 다닐까요?"

소녀는 나머지 하나의 에너지원을 어떻게 했을지 생각했다.

"두 개는 숨겼으니까 하나 정도는 가지고 다니지 않을까요?"

"그럼. 하나는 가지고 있다고 칩시다. 그 하나를 찾으려면 권필상 씨를 찾아야 되는데 어떻게 찾아야 될까요?"

두 사람은 마지막 하나의 에너지원을 만약 권필상 씨가 가지고 다닌다면 권필상 씨를 어디서 어떻게 찾고 그 다음에는 권필상 씨를 어떻게 설득시켜야 할지 고민했다.

#5.

그 시각 권필상 씨. 그는 동굴에서 힘을 더 키우며 또다시 복수 할 치밀한 계획을 세운다. 동굴은 계획을 세우고 운동하기에는 좋았지만 식량이 부족해 오랫동안 지내기에는 불편했다. 계획도 다 세우고 힘도 키운 권필상 씨는 도저히 동굴에서는 생활을 못 해 자신이 도와준 다른 에너지원 마을로 발걸음을 옮겼다. 다시 마을로 들어가 평범하게 생활했다.

소녀와 두만욱은 권필상 씨의 행적을 생각했다.

"만약 우리가 권필상 씨와 같은 상황에 처한다면 어디에서 생활 할까요?"

소녀의 질문에 두만욱이 응답했다.

"음. 그래도 일상생활과 밥은 먹어야 되니까 다른 마을로 가지 않았을까요?"

두 사람이 머리를 대고 협력하면서 슬슬 퍼즐이 맞춰지는 듯했다.

권필상 씨의 행방에 대한 실마리를 찾은 것 같았다. 두 사람은 우주선을 탔다. 친환경 마을과 떨어진 다른 에너지원 마을로 향했다. 권필상을 찾고 다니던 중 친환경 마을과 비슷하게 에너지원을 쓰지만 돈을 안 내고 쓰는 생태 마을을 발견했다. 친환경 마을에서는 돈이 없어 에너지원을 못 쓴 권필상 씨, 에너지원을 돈으로 사고팔지 않아 차별도 걱정 없을 생태 마을에서라도 에너지원을 쓰고 싶었을 것 같다고 소녀는 생각했다.

"혹시 여기 권필상 씨가 계시나요?"

"필상 씨를 알아?"

"네, 친환경 마을에서 이사 가셨거든요."

"아~. 친환경 마을 거 필상 씨 차별했다는 그 마을이구만."

"아, 그 저희가 권필상 씨를 찾으러 와서 혹시 어디 거주 중이신 지 아시나요?"

생태 마을 사람은 소녀와 두만욱으로부터 권필상 씨를 지켜주고 싶었다.

"필상 씨를 왜 찾어? 가뜩이나 거 마을에서 상처받았는데, 또 상처 줄라고?"

"아니요, 저희는 권필상 씨에게 용서 구하려고 왔어요."

생태 마을 사람은 소녀와 두만욱의 진심을 한 번 믿어주기로 했다. 그리고 두 사람에게 경고했다.

"만약에 두 사람이 또 필상 씨에게 상처주면 그때는 용서고 나발이고 두 사람 그냥 쫓아내 버릴겨! 알았는가?"

"네네. 당연하죠!"

"따라오슈."

두 사람은 어르신을 따라갔다. 따라갔더니 그 끝에는 정말 권필상 씨가 있었다.

"필상 씨, 거 뭐냐. 친 뭐? 뭔 마을?!?"

"친환경 마을이요."

"아, 맞어. 자네가 전에 살던 친환경 마을에서 사람이 왔다는 디 만나볼겨??"

필상 씨가 대답했다.

"네? 그 마을에서 저를 찾아왔다고요?"

'하. 여기는 대체 왜 온거야.'

필상씨는 생각했다.

"아. 네. 일단 뭐 만나볼게요."

막상 권필상 씨를 보니 무슨 말부터 꺼내야 할지 몰랐던 두 사람은 일단 사과부터 했다.

"미안해요. 아저씨. 아저씨의 마음을 헤아리지 못하고, 사람들이 경솔했어요."

이어서 두만욱이 말했다.

"다시 친환경 마을로 와주세요. 다들 권필상 씨를 기다리고 있어요."

그렇게 받고 싶었던 친환경 마을 사람들의 사과인데 무엇 때문인지 권필상 씨는 화가 났다. 권필상 씨는 두 사람의 진심 어린 사과를 받아주지 않았다.

"김씨, 두 사람 마을에서 내쫓아주세요. 얼른!"

"워메~. 무서운 그 필상 씨 화났네. 들었제?! 두 사람 얼른 친환경 마을로 돌아가슈!"

소녀와 두만욱은 권필상 씨를 설득해보려고 했지만 이미 마을 사람들에게 받은 상처는 권필상 씨에게 너무 깊은 상처였다. 다시 친환경 마을로 돌아가면서 두 사람은 얘기를 나눴다.

"권필상 씨를 설득하려면 어떻게 해야 될까요?"

소녀는 고민했다. 둘은 사과하고 용서를 구하면 금방 서운한 마음이 풀어질 줄 알았다. 하지만 생각보다 권필상 씨가 느낀 상처의 크기는 가늠할 수도 없을 정도로 크게 느껴졌다. 두만욱은 권필상 씨에게 더 다가갈수록 권필상 씨는 두 사람을 더 멀리할 거라고 말했다. 권필상 씨의 마음까지 어떻게 할 수 없었던 두 사람은 시간이 해결해 줄것이라 생각하며 계속 기다렸다. 기다리다 지쳐 마을 사람들은 권필상 씨를 설득하지 않기로 했다. 그렇게 권필상 씨를 잊고 하루하루 평범한 일상 속에서 살고 있는데, 권필상 씨는 갑자기 나타나서 친환경 마을 사람들에게 복수하기 시작했다.

"이게 뭐야! 마을이 또 왜 이래?"

친환경 마을은 평화를 찾은 줄 알았지만 갑자기 복수를 하는 권필상 씨 때문에 마을은 불안해졌다. 그러던 중 브라이언이 다시 주도권을 잡아 소녀와 두만욱을 브라이언의 연구실로 불렀다. 얼마 지나지 않아 소녀와 두만욱은 브라이언과 만났다. 소녀가 말했다.

"권필상 씨가 복수할 거라고는 생각하지 못했는데…."

소녀의 말을 듣고 두만욱도 입을 뗐다.

"권필상 씨를 어떻게 진정시키는 게 좋을까요?"

"지금은 진정이 힘들겠지만…."

브라이언이 말을 잇지 못했다. 셋은 머리를 맞대며 해결책을 생각해보았다.

"아! 이거라면 권필상 씨가 사과를 받아 줄 수 있을지 몰라."

브라이언은 엄청난 계획이 떠올랐다.

"그게 뭔데요?"

"내가 곰곰히 생각해봤는데 권필상 씨는 착한 사람이니까 그 마음을 헤아려 본다면 우리의 사과도 받아주고 어쩌면 다시 친환경 마을로 돌아올 수도 있어!"

조용히 있던 두만욱도 찬성한다는 듯이 고개를 끄덕였다.

소녀가 말했다.

"좋은 생각인 것 같아요. 아저씨 그럼 좀 더 자세한 계획을 들어볼 수 있을까요??"

"그런데 말이야… 이 계획을 실행하려면 과학자의 도움이 좀 필요할 거 같아."

두만욱이 말했다.

"친환경 마을에는 저를 만드신 위대하신 저희 아빠, 서태유 박사님이 계십니다."

두만욱의 말을 듣고 브라이언은 서태유 박사에게 바로 연락을 했다.

'서태유 박사님 지금 당장 제 연구실로 와줄 수 있을까요?'

서태유 박사가 대답했다.

'지금 당장 가겠네.'

얼마 지나지 않아 서태유 박사도 브라이언의 연구실로 왔다. 서태유 박사가 오자 브라이언이 입을 떼기 시작했다.

"박사님이 오시기 전에 이 둘에게 약간 설명했지만, 다시 자세하게 설명해드리도록 하죠. 지금 권필상 씨의 복수로 박사님도 아시다시피 친환경 마을의 평화가 무너지고 있습니다. 그래서 제가 곰곰히 생각해본 결과, 권필상 씨의 약한 마음을 이용하는 겁니다. 자세히 말씀드리자면 두만욱의 능력을 추가해야 해서 박사님의 도움이 필요합니다."

듣고 있던 서태유 박사가 입을 열었다.

"그래 마을이 다시 안정을 찾을 수만 있다면 내가 도와주지. 그럼 내가 어떤 능력을 만들어주면 되나?"

"두만욱과 눈이 마주치면 과거에 행복했던 기억이 잠깐 동안 회상되게 해주시면 됩니다. 제가 친환경 마을 초반에 들어와서 권필상 씨와 친환경 마을에 오랜 인연이 있기 때문에 그의 과거를 잘 알고 있죠. 초반 친환경 마을은 생태 마을처럼 돈이 없어도 에너지원을 사용할 수 있는 마을이었습니다. 그때까지만 해도 저도 그렇고 마을사 람들, 권필상 씨 모두 행복하게 서로를 도우며 도란도란 마을이 잘 돌아갔는데…. 아무래도 이 소문이 빠르게 퍼지다 보니 어느 순간 갑자기 사람들이 친환경 마을에 몰리기 시작하여 돈을 내야만 에너지원을 쓸 수 있는 환경으로 바뀌었습니다. 그 뒤로 모두가 본인 살기에 바빠 이웃 간의 교류도 많이 사라지고 권필상 씨도 그쯤부터 에너지원을 못 쓰며 살기 힘들어졌을 겁니다. 그래서 결론을 말씀드리자면 권필상 씨가 그때의 행복한 기억을 떠올리게 하여 본인의 잘못을 인정하게 하고 저희도 다시 정중히 사과드리며 마을의 안정을 다시 되찾게 하는 거죠."

두만욱과 소녀는 브라이언 씨의 좋은 아이디어에 연신 끄덕임과 함께 놀랐다. 서태유 박사도 놀라며 입을 열었다.

"오! 브라이언 자네는 천재일세 이런 생각을 할 줄이야. 자네를 다시 봤어. 그러면 나는 지금 당장 두만욱의 능력을 창조하러 가야겠네. 만욱 가자."

"네 박사님."

그렇게 서태유 박사와 두만욱은 연구실을 떠났다. 연구실에 남은 브라이언과 소녀, 브라이언이 말을 했다.

"아직 말 다 안 끝났는데 성격도 급하시지…. 그럼 나머지는 내일 다시 모이면 이야기 하도록 할게."

소녀가 말했다.

"내일도 여기로 오면 되는 건가요?"

"응. 그러면 된다."

그날 저녁 서태유 박사의 연구실.

나란히 앉아있는 서태유 박사와 두만욱, 서태유 박사는 에너지원을 찾으러 소녀와 함께 모험을 떠났던 두만욱에게 말했다.

"친환경 마을에만 있다가 밖을 나가보니 어땠어?"

이어서 두만욱이 대답했다.

"저를 만들어 주신 저의 아빠 서태유 박사님과 잠시 떨어져 있는 건 싫었지만 그래도 처음으로 바깥세상을 구경하고 발전소라는 것도 알게 되었어요."

"허허. 바깥세상을 구경하면서 다양한 경험을 얻게 되었다니 내가 다 뿌듯하구나."

"음. 내가 너를 더 일찍 업그레이드 시켰어야 했는데 이번 계기로 더 강해진 만욱이를 보게 되겠구나."

서태유 박사는 브라이언이 말했던 회상 능력을 두만욱에게 개발해주었다.

같은 시각 브라이언의 연구실.

"권필상 씨를 잡는다고 해도 권필상에게는 강한 힘을 가지고 있는 에너지원이 남아있어."

브라이언은 권필상 씨를 잡고 난 뒤 권필상 씨의 몸 안에 있는 에너지원을 뺄 기계를 만들어야 된다고 생각했다.

"음. 어떻게 하면 권필상씨의 몸 안에 있는 에너지원을 빼낼 수 있을까?"

브라이언은 연구실에서 곰곰이 생각했다.

"좋아!! 드디어 생각났어. 몸 안에 있는 에너지원은 액체니까 그걸 빼낼 추출 기계를 만드는 거야!"

브라이언은 에너지원 추출기인 SDUA를 만들었다.

다음 날.

브라이언은 다시 본인의 연구실로 세 명을 불렀다. 서태유 박사는 어제 밤을 샌 건지 눈이 퀭해 보였다. 브라이언이 조심스레 먼저 입을 열었다.

"박사님! 두만욱의 능력 창조는 성공하셨나요?"

"자네 계획 때문에 내가 밤새 얼마나 고생했는지. 아이고 온몸이 아프네…. 그래도 성공은 했어."

"박사님 수고하셨습니다. 두만욱의 업그레이드도 성공하셨으니 어제 말하다가 말했던 남은 계획을 말하도록 하죠. 권필상ㅍ씨는 분명 전처럼 새벽에 복수를 할 것입니다. 그러니 새벽까지 잠복하고 있다가 두만욱을 밖으로 보내 복수하고 있는 권필상 씨와 눈이 마주치게 하여 권필상 씨의 과거를 회상하게 하면 그것을 통해서 권필상 씨를 잡고 제가 어제 저녁에 발명한 에너지원 추출기인! SDUA로 그가 마신 에너지원을 추출해 내면 됩니다!!"

서태유 박사가 말했다.

"그 사이에 그런 추출기도 만들었어? 역시 상상 이상이군."

조용히 보고 있던 소녀가 말했다.

"그러면 오늘 밤에 권필상 씨를 기다리면 되는 거죠?"

"되든 안 되든 일단 기다려보자!"

브라이언이 말했다. 그렇게 세 사람은 저녁 늦게까지 기다렸다. 하지만 새벽까지 기다려도 권필상 씨는 나타나지 않았다.

다음 날.

"마치 우리가 기다리고 있는 걸 안다는 듯이 권필상 씨는 나타나지 않았어."

세 사람은 권필상 씨가 나타나기를 바라며 며칠 더 기다려보기로 했다.

"우리 며칠만 더 기다려봐요. 이제 하루 기다렸잖아요. 더 기다려보고 그때도 안 나타나면 계획을 바꾸는 걸로 하죠."

브라이언이 말했다. 세 사람은 언젠가는 올 거라는 믿음으로 계속 기다렸다. 하지만 아무리 기다려도 권필상 씨는 나타나지 않았고 세 사람은 며칠 동안 잠도 못 자 지칠 대로 지쳤다.

"음. 아무리 기다려도 권필상 씨가 나타나지 않아요."

브라이언이 말했다.

"이쯤 되면 이제 권필상 씨는 더 이상 친환경 마을에 안 들어오지 않을까?"

두 사람이 희망을 잃었을 때 서태유 박사가 말했다.

"정말 고생 많았어. 며칠 동안 잠도 못 자고 오지도 않는 권필상 씨 기다리느라고 근데 우리 마지막으로 딱 한 번만 더 기다려 보는 건 어때? 이번에는 마지막이니까 혹시 모를 상황을 대비해 만욱이도 데려갈게"

두 사람은 서태유 박사가 답답하기만 했다. 그래도 서태유 박사를 믿고 딱 하루만 더 기다려보기로 했다.

그날 밤.

마지막으로 딱 하루만 더 기다려보기로 한 세 사람 권필상 씨는 과연 나타날까?

"음. 아직 아무도 안 왔구만."

제일 먼저 도착한 서태유 박사와 두만욱은 두 사람을 기다렸다.

"박사님, 저희 왔습니다."

곧이어 두 사람이 왔다.

"믿어줘서 고맙네. 이번에도 권필상 씨가 안 나타난다면 그때는 잠이라도 실컷 자자고 허허."

피로에 지친 두 사람에게 서태유 박사는 진심 반 거짓 반 담긴 농담을 했다. 서태유가 두 사람을 향해 계속 농담을 하던 중 인기척이 들려왔다.

"스…. 스슥. 스슥."

마치 풀이 옷에 스치는 듯한 소리, 세 사람은 앞서 들려왔던 소리에 귀를 기울였다.

"혹시 권필상 씨인가요…?"

늦은 밤, 너무 어두워서 사람인지 동물인지 구별도 못 했기에 세 사람과 두만욱은 신중했다.

"스… 스슥…. 스..슥!!"

풀 소리가 점점 더 커졌다. 이때 한 목소리가 들렸다.

"뭐? 용서? 내가 사과받아주나 봐라 나는 계속 복수할거야!" 이들이 그렇게 기다려왔던 권필상 씨가 나타난 것이다. 숨어있던 사람들은 하나둘씩 속삭이며 말했다.

"권필상 씨가 나타났어요…!"

"드디어 나타났네. 일단 우리는 계획대로 움직여요."

세 사람은 먼저 나가서 권필상 씨를 제압했다.

"으윽…. 비겁하게 숨어있었다니!"

하지만 권필상은 에너지원을 마신 상태였기 힘이 많이 쎄고 달리기도 빨랐다. 엄청난 힘으로 세 사람을 이겨내고 달아난 권필상 씨는 곧 자신에게 앞으로 일어날 일은 모른 채 도망갔다.

"권필상 씨의 에너지원 힘 때문에 권필상 씨를 놓쳤어요!"

세 사람은 이제 희망이 없다고 생각했다.

바로 그때.

"두만욱! 권필상을 잡아!"

두만욱을 향한 서태유 박사의 다급한 외침이었다.

"권필상…. 나쁜 사람!"

인간 로봇인 두만욱은 권필상 씨를 쫓아가기 시작했다.

"아이씨. 짜증 나게! 뭐야 저 깡통 로봇은?"

하지만 에너지원을 마신 권필상을 따라가기에는 두만욱이 권필상에 비해 느렸다.

"권필상. 나쁜 사람! 내가 잡을 거야. 우리 아빠를 힘들게 한 나쁜 사람! 내가 반드시 꼭 잡는다!"

두만욱이 갑자기 빨라졌다. 과거, 두만욱에게 회상 능력을 추가하던 서태유 박사.

"혹시 모르니 너에게도 권필상이 가지고 있는 전기 에너지를 넣어줘야겠어. 만욱아 이 에너지는 정말 필요한 상황에만 써야 된다. 알겠지?"

두만욱이 대답했다.

"알겠습니다. 박사님, 권필상을 잡을 때 꼭 필요하다면 쓰겠습니다."

사실 서태유 박사는 위급 상황을 대비하여 두만욱에게 권필상 씨와 똑같은 전기 에너지원을 넣어준 것이다.

현재.

"뭐야! 깡통 로봇 주제에 갑자기 왜 저렇게 빨라지는 거지!"

과거 서태유 박사가 넣어준 전기 에너지로 두만욱은 권필상보다 더 빨라졌다.

"내가 꼭 잡고 말테야! 으으윽! 조금만 더!"

드디어 두만욱이 권필상을 잡게 됐다. 뒤늦게 따라온 세 사람은 다시 권필상을 제압했다. 그리고 두만욱이 권필상의 눈을 빤히 바라보았다.

"뭐야? 기분 나쁘게. 사람 눈을 뭘 그리 빤히 쳐다봐."

권필상은 두만욱의 눈을 피하려고 했지만 뭔가 홀리는 느낌이 들었다.

회상.

친환경 마을의 에너지가 무료로 제공되었던 시절. 브라이언 씨와 권필상 씨는 둘도 없는 이웃이었다. 서로가 서로를 도우며 행복하게 살고 있었다. 그때는 돈이 없어서 에너지원을 사지 못한다는 그런 걱정도 없었고 권필상 씨는 항상 친환경 마을 사람들에게 친절하고 자기 할 일은 똑 부러지게 하는 듬직한 총각이었다.

하지만 친환경 마을의 장점인 무료로 제공되는 에너지원 때문에 사람들은 갑자기 많이 몰리기 시작하였고 그로 인해 무료 에너지원을 제공해주었던 친환경 마을은 이제 돈이 없으면 친환경 마을에 못 사는 환경이 되었다.

돈은 없지만 열심히 일하던 권필상 씨는 차별과 무시 때문에 더 이상 친환경 마을에서 살 수 없게 되었다. 그러나 권필상 씨에게 받았던 친절을 베풀고 도와준 은혜를 갚은 사람들도 있었다. 상황이 좋지 않았던 권필상 씨의 눈에는 그때 당시 자신을 도와줬어도, 응원의 말 한마디를 들었어도 자신을 무시하고 차별하는 느낌을 받았던 것이다.

현재.

"흑흑…. 잘못했어요."

세 사람과 두만욱은 울며 사과하는 권필상 씨의 모습을 보니 마음이 약해졌다.

"잘못했습니다. 저는 저를 모두가 차별하고 무시한 줄 알았는데 그게 아니었어요. 용서해 주세요."

몇 명의 마을 사람들로 인해 마음의 상처를 받은 권필상 씨는 친환경 마을과 사람들을 힘들게 한 것에 대해 진심으로 사과했다. 이를 모두 듣고 있던 세 사람과 두만욱, 권필상 씨와 친한 이웃이었던 브라이언이 먼저 입을 열었다.

"권필상 씨, 우리도 미안해요."

뜻밖의 사과에 권필상 씨는 당황했다.

"진짜 미안해요. 필상 씨가 그렇게 힘들어하는 줄은 몰랐어요."

그때 사람들에게는 느껴졌다. 권필상 씨가 마냥 나쁘지만은 않다는 것을.

"필상 씨가 우리 마을 사람들과 마을에 복수를 했던 거는 다 우리가 권필상 씨의 마음을 헤아려주지 못해서예요."

이제야 서로의 마음을 알게 된 네 사람은 서로의 사과를 받아주었다.

"이제 그만. 미안해도 돼요. 우리 이제 친하게 지내요."

권필상 씨를 이해해준 세 사람은 권필상 씨를 따뜻하게 안아주고 브라이언이 만든 에너지 추출기인 SDUA로 권필상 씨 몸 안에 있는 에너지원을 모두 빼내었다. 권필상 씨는 자신이 훔쳐 갔던 나머지 하나의 에너지원을 세 사람에게 돌려주었다. 세 사람은 권필상에게서 빼낸 에너지원을 원래 위치로 되돌려놨다.

다음 날 아침, 친환경 마을.

친환경 마을에 있던 에너지원이 모두 돌아왔다.

"헉. 에너지원이 드디어 다 들어 온거? 파티 열어야겠네!"

"와아! 엄마 이거봐요. 이제 물이 잘 나와요."

"진짜네~. 이제 편하게 쓸 수 있겠어."

그렇게 마을 사람들과 권필상 씨의 갈등은 모두 해결되었고, 마을의 에너지원도 모두 돌아왔다. 소녀, 두만욱, 서태유 박사, 브라이언, 권필상, 마을 사람들 모두가 행복하게 살 수 있게 되었다.

제 6 화 Vesta-1007

김 서 현 , 양 세 종

2040년, A는 여느 날과 다르지 않게 연구소에서 일을 하고 있었다. A씨의 업무는 지구 주변의 소행성을 분석하고 소행성의 방향을 예측해 데이터화시키는 것이다. A는 평소처럼 일은 하던 중 얼굴이 파랗게 질렸다.

"이게 말이 되나?"

궤도 예측기에 빨간색 경고등이 계속 뜨고 있었다. 한 행성이 지구를 향해 오는 빨간 선이 분명 지구 한 가운데를 뚫고 지나가는 것이다.

'말이 안 되는 상황이야. 절대 그럴 수 없어.'

A는 자신의 관측 결과를 다시 확인했다. 결과는 똑같았다. 상상할 수 없는 결과다.

'지구가 망한다고. 바로 소행성 Vesta-1007의 이동 속도가 빨라져 이 속도로 계속 이동하면……'

지구와의 충돌이 예측된 것이다.

'이대로 가다가는 지구 전체가 위험해!'

A는 곧바로 이 사실을 상부에 보고했다. 처음 보고 했을 때 말도 안 되다며 상사는 웃었다. A는 당황했다.

'시간이 없는데…'

A는 다시 한번 심각한 어투로 보고했다.

"저희가 유심히 지켜보고 있었던 소행성인 Vesta-1007의 속도가 갑자기 빨라졌고 궤도가 지구 쪽으로 치우치면서 오고 있어요."

상사는 그제야 심각성을 인지했다. 그러고는 말했다.

"상부의 우선 이 사실을 보고 할 테니 정확한 보고서를 3시간 안으로 작성해오게."

A는 대답과 함께 한마디를 덧붙였다.

"현재 궤도 예측기에 따르면 충돌까지 남은 시간은 약 10일입니다."

A는 Vesta-1007이 지구의 공전 궤도와 약 80km가 겹치게 되어 충돌하게 될 것이고 충돌까지는 약 10일의 시간이 남았다는 결론을 도출해냈다. A는 '최선의 해결책이 무엇일까?'라는 고민을 수천 번 했다. 로켓을 사용하여 소행성의 궤도를 변경하는 것. 그것이 A가 내린 최선의 결론이었다. A는 상부에 곧바로 이 사실을 알렸다.

"저희 연구원들이 내린 최선의 결론은 로켓으로 Vesta-1007의 궤도를 바꾸는 것입니다."

현재 Vesta-1007는 지구와 궤도 80km가 겹친다. 그렇다면 로켓으로 소행성을 명중시켜 궤도를 바꾼다면? 현재 로켓으로 변경할 수 있는 궤도는 최대 100km. 불가능할 것도 없는 일이었다.

상부의 생각과 A의 생각은 일치했다. 그러나 한 가지 문제가 있었다. 궤도 80km를 바꾸기 위해서는 우주비행사가 필요했다. 한 번에 성공해야 하기에 똑똑해야 할 뿐만 아니라 위기 대처 능력이 뛰어난 사람이 필요했다. 우주비행사를 찾기 위해 프로젝트 A-1을 진행했다. 연구원들은 조종 할 수 있는 사람을 찾기 위해 전 세계적 우주비행사를 대상으로 찾기 시작했다. 우주비행사가 될 수 있는 조건은 매우 까다로웠다.

로켓에 관한 지식이 풍부해야 했기에 NASA에서 실시하는 로켓 및 조종 관련 시험에서 통과해야 했고, 신체검사에서 키는 170cm 이상 2m 이하여야 했으며, NASA에서 진행하는 우주인 시험에 통과해야 했다.

이제 남은 시간은 단 5일. 시험이 너무 어려웠던 탓인지 아직도 이 기준에 적합한 우주비행사를 아직까지 찾지 못했다. 점점 시간이 없어지니까 A는 초조해지기 시작했다. 그 순간 좋은 소식이 들려왔다. 바로 두 명의 적합자가 나왔다는 것이다. 전 세계 우주비행사 중 단 2명만이 이 기준에 충족했다. 소설 같은 상황이었다.

그 둘은 바로 K와 C였다. K는 A와 4년 동안 사귀고 있는 A의 남자친구였고 C는 A의 15년 지기 친구로 A와 가장 친한 친구이다. 자신이 사랑하는 사람과 가장 좋아하고 친한 친구 중 한 명이 목숨을 잃는다는 사실에 A는 절망감에 빠졌다. 둘 중 최종 비행에 나설 사람을 정하는 고민도 잠시 우선 A는 K와 C에게 훈련 참가를 공지했다. 혹시 모를 상황을 대비한 것이다.

훈련의 종류는 주로 조종에 관련된 부분으로 집중했고 소행성의 현재 이동 방향과 앞으로의 예측, 해야 할 업무에 대한 교육 등이 진행되었다. 이제 충돌까지 남은 시간은 4일이었다. A의 한숨은 날이 갈수록 커졌다. A는 자신의 운명을 원망했다. 왜 나에게 이런 시련을…. A가 이렇게 절망하는 까닭은 둘 중 한 명이 희생한다는 것도 있지만 그 희생자를 A 본인이 정해야 했기 때문이다. 불행하게도 4일 정도 남았던 시간이 속도가 빨라져 남은 시간이 48시간으로 줄었다. 연구원들은 줄어든 시간만큼 더 바빠졌다. 이제는 결정의 시간이 왔다. 둘의 실력은 비슷했기에 우주비행사 경험이 더 많았던 A의 친구인 C가 가게 되었다. A는 마음이 찢어지는 것 같았다. 14년 지기 친구를 자신의 결정으로 희생시키는 것이 마음이 아팠다. C는 애써 밝은 표정으로 A를 위로했다.

"난 괜찮아. 경험도 많은 내가 가는 게 맞지."

이제 남은 시간은 단 하루. 이제 출발 준비는 완료되었고 이제 발사 시간만을 기다리고 있었다. 로켓 출발하기 마지막 밤이 지나간다.

출발 준비 7시간 전 저녁 11시.
K는 A 몰래 C를 불러냈다. 그러고는 말했다.

"제가 당신 대신 가기로 했어요."
"네?? 그게 무슨 소리죠?"
"사실 저는 시한부 판정을 받아서 1년이라는 시간밖에 남지 않았어요. 지금은 증상이 크게 나타나지 않아 괜찮지만 치료가 불가능해요. 당신은 저보다 살날이 많으니 제가 가는 게 맞는 것 같아요."
"하지만 그래도….."
"전 괜찮아요. 그리고 죽을 확률이 100%가 아니잖아요, 혹시 알아요? 제가 그 작은 확률에서 살아남을 수도 있잖아요."
"그럼 이만. 아 그리고 부탁이 하나 있는데 혹시 제가 다시 돌아오지 못한다면 제 몫까지 A를 잘 챙겨주세요."

K는 그 말을 끝으로 발사 장소로 이동했다. C는 보았다. K의 눈이 가로등에 반짝거리는 것을 C는 한동안 그 자리에 서 있었고 자신도 모를 안도감과 미안함에 눈물을 흘렸다. A는 일어나자마자 K를 보러 숙소에 갔다. 그러나 숙소에는 편지 한 장과 함께 꽃만이 A를 반겨주었다. A는 두려운 마음으로 편지를 열었다.

'안녕 A야. 나 K야. 지금 이 편지를 읽고 있다는 건 내가 이미 발사선데에 도착했겠네. 사실 나는 몇몇 전에 시한부 판정을 받았어. 미리 말하지 못해서 미안해. 하지만 나에게 남은 시간은 1년밖에 없고 지금은 괜찮지만 나중에는 너만 힘들어질 것 같아서. 내가 로켓에 타기로 했어. 그리고 편지 옆에 있는 꽃은 너가 좋아하는 메리골드야. 메리골드의 꽃말은 반드시 오고 말아야 할 행복이래. 면두. 정말. 면약에 내가 다시 돌아오지 못한다면 '소금만 슬퍼하고 꽃말처럼 행복하게 살아가 주면 좋겠어. 마지막 인사도 못 하고 떠나서 미안해…'

A는 하염없이 울고 또 울었다. 시간이 조금 지나 벌써 출발 준비가 시작되었다. A는 출발 준비 중인 로켓을 보면서 말했다.

"K야 그거 알아? 사실 메리골드의 꽃말은 이별의 슬픔도 있다는 거…"

A의 그 말을 끝으로 로켓 발사 카운트다운이 시작됐다.

5! 4! 3! 2! 1! 발사!

로켓은 성공적으로 발사되었고 펑 소리와 함께 순간 우주가 고요해졌다. 소행성 궤도가 바뀌어 지구의 예상되었던 피해들이 전부 사라졌다. 지구는 언제 두려워했냐는 듯 예전과 똑같은 상황으로 돌아왔다.

달라진 것은 없었다. K가 지구에 없다는 것 빼면…

제 7 화 섞 일 수 없 는 피

정 이 현 , 진 선 우

#1.

내 첫 기억은 불타는 집에서 나의 부모라는 사람들이 나를 끌어안고 나를 감싸는 기억이다. 어찌해서 나는 살아남아 있다.

그렇게 두 번째 기억, 부모님의 장례식장이다. 내 옆에는 우민 형이 있었는데 형은 무덤덤하게 내 옆에서 자리를 지킬 뿐이었다. 옆에서는 어떤 여자와 남자가 우리 근처에서 속닥거리고 있었다.

"에휴. 애들 둘만 남아서 이를 어째, 어쩌다가 그렇게 된 거야."

우릴 보면서 말하는 것 같았지만 형은 아무런 반응도 없었다.

"정확히 왜 불이 난 원인은 알려지지 않았지만, 아이를 감싸다 이렇게 된 거지."

나는 그때의 상황이 다시 떠오르면서 머리가 아파오는 것 같다.

"그래도 큰 애가 다 커서 다행이지 유산도 있으니 어떻게든 살겠지."

그렇게 두 사람은 어디론가 사라지고 형과 나만이 있었다. 앞에를 쳐다보니 내 앞에는 날 닮은 두 사람의 사진이 있었다. 그런데 형과는 닮은 부분이 없는 것 같았다. 하지만 나는 그렇게 이상하게 생각하지는 않았다. 장례식장에는 많은 사람들은 오지 않았다. 지금 와서 생각해보면 많은 사람이 오는 것보다 적은 사람이 오는 게 더 나았던 것 같다. 누워있던 나는 옆에서 형이 나에게 속삭이듯 말했다.

"괜찮아, 괜찮을 거야."

그 말을 듣고 나는 아무런 대답도 하지 않고 가만히 누워만 있었다.

#2.

세 번째 기억은 집에 혼자 남겨진 기억이다. 작은 방안이었지만 혼자 남겨진 나에게는 크고 외로운 방이 되었다. 부모님이 돌아가시고 많지 않은 돈으로 생계를 이어가기에는 어려움이 있다고 생각한 형은 아침 일찍 나가 새벽에 돌아오면서까지 돈을 벌었다.

"앞으로 집에 있는 시간이 거의 없을 것 같아."

집에 혼자 남아있을 나를 걱정하는 것 같은 말투로 말을 한 형에게 나는 이렇게 대답했다.

"괜찮아. 집 잘 보고 있을게."

사실은 혼자 집 보고 있는 게 무섭고 형과 놀고 싶었다. 하지만 그렇게 말할 수 없었다. 돈을 버는 것도 다 나를 위한 일이라고 생각했기 때문이었을까. 그렇게 혼자 집에 남아있는 나는 시간이 지날수록 가족의 빈자리를 느껴야만 했다. 생각에 잠겨 중얼거렸다.

"가족이란 무엇일까? 서로의 일상을 이야기하고 기쁨. 슬픔. 외로움. 행복 등 이러한 감정들을 함께 공유하는 게 가족일까? 나에게는 지금 이런 가족이라는 게 있을까?"

중얼거리는 도중 형이 방 안으로 들어왔다. 내 얘기를 들었는지는 모르겠지만 상관하지 않았다. 그때의 나는 그저 나를 혼자 남겨둔 형이 원망스럽기도 하고 내가 지금 외롭고 가족에 보살핌이 필요하다고 말하고 싶었던 걸지도 모르겠다. 시간이 지나 나는 키도 크고 얼굴도 변해갔다. 하지만 형은 이상할 정도로 변한 모습을 찾을 수가 없었다.

유전 때문이었을까? 나는 생각보다 머리가 좋았다. 그래서 장학금을 받으며 학교를 다니다 보니 좋은 조건으로 취직할 수 있게 되었다. 집도 이사 가면서 짐 정리를 하게 되었다. 짐이라고 해봤자 옷 몇 벌에 물건 몇 개 뿐이었다. 이삿날 짐을 모두 트럭에 실어 보니 구석에 무슨 박스 하나가 보였다.

"형 이기 무슨 박스인지 알아?"

형은 듣지 못했는지 아무런 대답도 들리지 않았다. 나는 무슨 박스인지 확인해 보는데

"이게 왜 이런 데에…."

바로 부모님의 유품 상자였다. 부모에 대한 기억도 거의 없고 굳이 기억해 내고 싶지 않았던 나는 안을 확인해 보지도 않고 그대로 트럭에 실었다. 새로 온 집은 형과 나 둘이 살기에는 부족함이 없었다. 하지만 일이 늘어나면서 형과는 더 거리가 멀어진 것 같았다. 어렸을 적 나에게는 가족이 필요했었다.

지금 내게 필요한 건 과연 무엇일까? 아직도 나는 가족이란 존재가 필요한 것일까? 다른 형제처럼 나도 형과 사이좋게 지내고 싶은 건가? 아니면 더 이상 바라는 것도 없는 게 아닐까? 이런 생각을 하는 내가 너무 한심해 보이기도 한다.

#3.

일을 마치고 집에 돌아오는 길이었다. 내가 자주 가던 식당을 쳐다보니 부모와 아이 둘이 앉아 화목하게 밥을 먹고 있는 모습을 보았다. 왜였을까? 나는 그 모습을 못 본척하고 발걸음을 옮겼다. 집에 들어와서 형을 불렀다.

"나왔어. 오늘은 밖에서 밥 먹을까?"

하지만 아무런 대답도 들리지 않았다.

"집에 없어?"

다시 한번 형을 불러보아도 들리는 소리는 시계의 바늘 소리뿐이었다.

"형…?"

그렇게 집 안을 찾다 보니 창고 방안에서 형이 쓰러져 있었다.

"형! 괜찮아?"

나는 상황 파악을 할 새도 없이 형에게 다가갔다. 119로 전화를 하려는 순간 어떻게 된 걸까? 내가 무언 갈 건드린 걸까? 갑자기 형 몸에서 홀로그램이 나왔다. 형은 로봇이었던 것이다.

홀로그램을 보는데 형의 기억을 보여주는 것 같았다.

[2000년 4월 29일]

내가 만들어져 처음으로 눈을 뜬 날 나는 우민이라는 이름으로 태어났다. 내가 만들어진 목적은 나를 만든 이들의 아이를 돌보는 목적인 듯하다. 그렇게 나는 아이를 돌보기 시작했다

[2000년 6월 13일]

아이의 이름은 수민이다. 나를 만든 이들은 계속해서 연구를 하느라 바쁜 듯하다. 아이를 볼 시간조차 없는 걸 보면 말이다. 수민이는 오줌을 싸고 시끄럽게 울지만 나는 신경 쓰지 않는다.

[2000년 11월 7일]

많은 사람들이 나를 보기 위해 왔다. 사람들은 나를 로봇이라고 생각하지 못할 정도로 잘 만들어졌다고 말한다.

[2000년 1월 21일]

나를 만든 이들이 연구를 하다가 불이 났다. 하지만 이들은 아이를 챙기지 않는다. 어째서일까? 자신의 아이를 챙기지 않고 자기 목숨만을 위해 도망친다. 불이 나는 집안에서 나는 끝까지 아이를 끌어안고 지켜냈다.

[2000년 1월 22일]

　나를 만든 이들은 결국 죽고 말았다. 장례식장이라는 곳에서도 나는 수민이를 돌본다. 부모를 잃어서 수민이 불쌍해서일까? 나는 나도 모르게 "괜찮아, 괜찮을 거야."라고 말했다.

[2000년 2월 3일]

　나는 수민을 나의 가족이라고 생각하기도 했다. 로봇과 인간이 가족이 될 수 없다는 것을 알지만 나는 그냥 그렇게 생각하기도 정했다.

　나는 형의 기억을 보고 한동안 가만히 있을 수밖에 없었다. 마지막 홀로그램 장면은 어디서 봤던 장면이었다. 그 장면은 어렸을 때 부모님이 불에서 나를 지킬 때 그 장면이었다. 그런데 어디서 본 사람이 있었다. 그게. 형이 불을 낸 것이었다. 아니. 사고였다. 나는 어찌할 줄 모르고 열이 오르고 화가 났다. 어떻게 나한테 그럴 수 있지. 왜 우리 부모님을 꼭 그렇게 보냈어야 했는지. 그래서 나는 형을 보고 많은 생각이 들었다. 굳이 '형을 살려야 하나'라는 생각이 들었다. 영상은 끝났다. 다시 보니 형은 로봇인 것이다.

　'그래서 몸에서 갑자기 홀로그램이 나와서 영상을 틀어주는구나. 로봇인데 그리고 우리 부모님을 죽였는데 살려야 하나?'

　여러 생각이 들었다. 많은 생각이 스쳐 지나갔다. 로봇이라는 게 안 믿겼다. 근데 생각해보면 형 어렸을 때 사진도 없고, 감정 표현도 없고, 밥을 먹는 것도 본적이 없었다. 밥 먹을 시간조차 없어서 그런 줄 알았는데⋯. 부모님이 로봇 과학을 했던 기억이 났다. 그래서 나는 일단 어찌할 줄 모르다가 집을 뒤져봤다. 여기 저기 뒤져봤다. 그것을 찾아봐도 보이지 않았다. 그래서 나는 어떻게 해야 할 줄 모르고 울먹이며 서 있었다. 그러던 와중 머릿속으로 부모님 유품 안에 있던 건전지가 생각났다. 안방으로 들어가 부모님에 유품을 확인했다. 안에는 건전지들이 있었다. 건전지를 가지고 와서 형에게 있던 것을 꺼내고 넣으려고 하는 순간 다시 생각이 든다. 우리 부모님을 그렇게 불에 타 죽이고 로봇인데. 사람이 아닌데. 많은 생각이 들었고 이걸 어떻게 해야 할지도 모르겠다. 그리고 깨어난다 해도 어색할 건데 어떻게 해야 하지. 이런 이야기를 물어보기도 어렵고. 많은 생각과 고민이 든다. 어떻게 하지. 진짜로 어떻게 해야 될까?

갑자기 머리가 아파 온다. 희미한 기억이 떠오른다. 아, 그때! 불이 났던 이유가 생각이 났다. 로봇. 형. 형이. 로봇에 장치가 고장나서 그렇게 된 것이었다. 오작동을 하는 동안 형이 도와주라고 나에게 말했었다. 너무 어려서. 나는 그걸 힘이 없었지만. 분명 형의 목소리가 들렸다. 맞아. 그랬었어.

나는 이제 어떻게 해야 할지 모르겠다. 고민이 든다. 기억이. 어렸을 때는 부모님이 바빠서 3살부터 그리고 지금까지 형은 늘 나랑 같이 있었고, 같이 놀았고, 같이 먹었고, 같이 자곤 했다. 많은 생각이 든다. 어떻게 할까.

그래도 우리 형이지 맞아. 우리 형이야.

나는 형의 건전지를 교체했다. 그리고 기다린다. 그리고 30초 정도 눈을 감고 기다린다. 이번에 일어나면 잘 챙겨줄게. 잠시 눈을 감고 기다리다 다시 눈을 떴는데 내 옆에서 형이 앉아 있다. 나는 형을 보자마자 눈물이 났다. 울면서 형을 꼭 안았다. 그리고 3초 정도 지나고 형이 말했다.

"밥 먹어야지."

제 8 화 실 험 체

장 준 기 , 임 서 온 , 김 우 정

#1.

2120년 22세기 지구에 있는 인간들은 4차 산업혁명을 넘어

우주로 빠르게 이동하는 5차 산업혁명을 보냈다. 5차 산업혁명에서는 우주에 있는 행성과 별들을 21세기에 택시로 지역을 돌아다니는 것처럼 자유롭게 우주택시로 이동했다. 우주 택시는 3광년으로 이동했고 택시를 탈 때는 중력을 느끼지 않아서 빠른 속도로 움직여도 전혀 불편함을 느끼지 않았다. 그리고 더 빠르게 우주로 갈 수 있는 2110년 5차 산업혁명을 마주하게 되었다. 그 속에서 한울이와 한솔이는 여느 날처럼 어떤 하루도 행성 여행을 갈지서로 고민하였다. 한솔이는 번뜩 며칠 전 과학잡지에서 봤던 행성이 떠올랐다. 바로 작은 행성이지만 아름다운 행성인 에리스 말이다.

"한울아 오늘은 붉은빛이 나는 에리스로 떠나는 거 어때?"

한울이가 말했다.

"오! 나도 그 행성 관심 있었는데 좋은데? 가보자!"

대화가 끝난 뒤 둘은 우주 택시를 타고 행성 에리스로 떠나게 된다.

"한솔이 형, 에리스에는 뭐가 있을까?"

"모르겠는데, 뭔가 오늘따라 기분이 묘하네."

둘은 가는 동안 아무 말도 하지 않았다. 그때 택시 안에 있던 AI로봇이 말했다.

[행성. 에리스에 도착하였습니다.]

둘은 동시에 에리스를 보고 놀랐다.

#2.

에리스의 크기는 생각보다 아담하였다. 그리고 생각보다 더 아름다운 붉은빛을 띠고 있었다. 우주 택시를 타면 30분 만에 행성을 돌 정도의 크기였다. 그때 쌍둥이는 우주를 날아다니는 외계인을 보았다. 보통 우리가 생각하는 외계인은 UFO를 타고 다닌다고 알고 있었다. 그런데 이 외계인은 작은 도구조차 없이 우주를 날아다니고 있었다. 그걸 본 쌍둥이들은 놀랄 수밖에 없었다. 쌍둥이들이 생각하고 책에서 봐왔던 외계인의 행동이 아니었기 때문이다. 외계인의 생김새는 기괴한 모습이 아니었다. 익숙하지만 익숙하지 않은 모습이기도 했다.

그때 동생 한울이와 외계인의 눈이 마주쳤다. 눈이 마주치자마자 한울이는 깜짝 놀라 주저앉았다. 한솔이는 넘어진 한울이를 일으켰다.

"뭐야? 왜 넘어지는데?"

한울이는 형 한솔이에게 손으로 가리키며 설명을 했다. 한솔이는 한울이가 손으로 가리킨 곳을 봤다. 그곳에는 아무것도 없었다. 한울이가 말을 했다.

"형. 진짜 있었어!" 라고 말하며 형의 옷소매를 잡아 당겼다.

"아니 뭐가 있는데?"

그 순간 뒤에서 싸늘한 느낌을 받았다. 서로 얘기를 나누던 쌍둥이들은 순식간에 조용해졌다. 침을 한번 삼킨 후에 서로 마주 보았고 천천히 뒤를 돌았다. 쌍둥이들은 몸이 경직될 수밖에 없었다. 눈앞에 외계인이 서 있었기 때문이다. 외계인은 쌍둥이들에게 먼저 말을 걸었다.

"안녕?"

쌍둥이들은 귀가 잘못된 건가 싶었다. 순간적으로 정지가 되어서 생각을 했다. 그리고 가까스로 정신을 차린 후 말을 걸었다.

"어. 안녕?"

똑같이 인사를 나누었다. 그렇지만 외계인이 우리나라 말을 사용할 수 있다는 의문은 사라지지 않았다. 그때 그 외계인은 우리를 향해 기괴한 미소를 지었다. 외계인이라 그런지 쌍둥이가 보기에는 그 미소가 너무나도 무서웠다. 하지만 마음을 진정시킨 후에 여러 이야기를 나누었다. 이야기를 하다 보니 행성 이야기도 나왔다. 그 외계인이 사는 행성은 외계 행성이다. 외계 행성에는 쌍둥이들이 만난 외계인과 비슷하거나 닮은 외계인들이 많이 산다는 얘기도 들었다. 초능력이 전부 다르다는 것도 말이다. 그러다 외계인이 쌍둥이들에게 말을 걸었다. 쌍둥이들은 그 얘기를 듣고 묘한 표정과 함께 서로 쳐다봤다. 외계인이 한 말은 둘 중 한 명에게만 초능력을 넘겨주겠다는 것이었다. 외계인이 말하기에 자신의 능력은 사이코키네시스. 즉, 염력이라는 능력이다. 쌍둥이들의 표정은 묘하게 경쟁심으로 바뀌어 있었다.

#3.

　그렇게 경쟁심에 사로잡힌 쌍둥이들의 갑작스러운 침묵이 시작됐다. 외계인은 갑작스러운 침묵에 당황하였지만 둘은 그런 외계인의 당황스러움을 알아차리지 못했다. 왜냐면 그들이 어렸을 때부터 꿈꾸던 사이코키네시스라는 능력을 얻을 수 있는 기회가 코앞에 있기 때문이다. 사이코키네시스라는 능력을 얻으면 일상에서의 사소한 불편함을 해소할 뿐만 아니라 지구에서 가장 특별한 사람이 될 수 있는 기회인 것이었다. 그리고 이들은 생각했다.

　'그럼. 내가 영웅이 되어서 돈도 많이 벌 수 있는 거 아닌가?' 하며 말이다.

　쌍둥이들은 여러 생각을 하며 행복한 표정을 지었다. 그러고는 서로에게 말을 했다.

　"넌 염력이라는 능력을 얻고 뭘 할 수 있어? 만약 네가 염력을 얻는다면 나보다 더 잘 쓸 수 있어?"

　한울이의 한 마디가 정적을 깼다.

　"그러는 너는 능력을 얻고 뭘 할 수 있는데?"

　한솔이가 되물어봤다.

　"내가 너한테 물어봤는데 왜 네가 다시 물어봐? 엄마한테 그렇게 예의 없이 배웠어?"

　말 한마디가 결국 한울이의 심기를 건드렸다. 그렇게 그들은 자신들이 형제라는 사실도 잊은 채 심하게 말싸움을 하기 시작하였다.

　"하. 이 자식 또 이러네. 네가 그러니까 학교에서 외계인 취급을 받는 거야. 계속 자신을 특별하게 생각하고 겨우 2분 빨리 태어난 거 가지고 자꾸 투덜거리네?"

　그렇게 결국 한울은 그동안 쌓여있던 온

갖 분노를 한자리에서 전부 표출하였다. 그런 형제들의 대화를 듣던 외계인은 그 자리에서 분노를 표하였지만 이성을 잃은 형제들은 외계인과 초능력 따위는 자신들의 안중에 없었다. 자신의 존재 자체를 무시당한 외계인은 결국 지구인에 관하여 그게 회기 났다. 하지만 외계인은 한 번 더 참기로 하고 쌍둥이들을 지켜보았다. 과거의 옹기종기 친하게 지내던 형제들의 모습은 온데간데없고, 서로를 피 터지게 물어뜯는 짐승의 모습이었다.

#4.
그리고 그들은 에리스 행성 한 면에서 막 굴러다녔다. 눈두덩이가 멍들고 입술 한쪽에서 피가 났다.

그때 한솔이가 말을 꺼냈다.

"야! 내가 가진다니까? 형인 내가 가져야 되는 거 아니냐?"

한울이가 대답했다.

"형이면 다 가져야 되는 거냐? 너랑 나랑 쌍둥이거든??"

"그리고, 야 형은 개뿔! 고작 2분밖에 차이 안 나면서 왜 난리야."

그렇게 한참을 싸웠다. 그 상황을 계속 지켜보던 외계인은 한숨을 쉬었다. 그리고 말을 했다.

"하. 한심하게도 싸우네."

외계인은 결국 포기하고 쌍둥이들에게 초능력을 주었다. 초능력을 받은 쌍둥이들은 신이 났다. 우주를 날아다니고 작은 운석들을 들어보기도 했다. 그걸 바라보고 있던 외계인은 뭐가 그렇게 재밌는지 입꼬리가 높게 올라가 있었다. 시간이 지나 쌍둥이들은 에리스 행성으로 다시 돌아왔다.

쌍둥이들은 외계인을 쳐다보았다. 외계인은 입꼬리를 내리며 얘기했다.

"이제 슬슬 가야 할 거 같은데?"

아쉬운 듯 표정을 짓는 쌍둥이들이었다. 때마침 아버지가 쌍둥이를 데리러 오셨다. 우주 택시를 탔다. 타고 난 후 에리스 행성을 보았다. 하지만 외계인은 먼저 떠났는지 보이지 않았다. 우주 택시를 탄 아버지와 쌍둥이들은 지구에 도착했다. 그렇게 쌍둥이들은 밥을 다 먹고 외계인에게 받은 능력을 실험하러 밖으로 나갔다. 하늘을 날아보기도 하

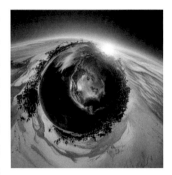

고 길거리에 벤치를 들어보기도 하는 등 평소에 쌍둥이들이 해보고 싶었던 것들을 전부 실현해봤다. 하지만 그렇게 능력을 남용하던 쌍둥이는 자신들이 제어할 수 있는 능력의 한계를 넘어버리고 날뛰기 시작했다. 쌍둥이는 길거리에 있는 자동차를 파괴하고 사람들을 날리고 어떤 곳에서 하는 스포츠 경기를 조작하는 등 여러 가지 사고를 쳤다. 이를 알아차린 그들의 아버지는 그들을 통제하러 나갔지만 이미 먼 곳까지 간 쌍둥이들을 막기는 힘들었다. 그렇게 더욱 수준 높은 사고를 치던 쌍둥이들은 자신들의 힘으로 대륙을 이어주는 다리를 파괴했다. 이로 인해 대륙별 교류 활동이 침체 되고 대륙별 경제가 점점 파괴되기 시작했다. 경제가 침체된 각 대륙은 이를 회복하기 위해 다른 땅들을 무력으로 제압하기 시작하였고 이를 본 선진국들이 개입하게 되어 제4차 세계대전이 발발하게 되었다. 그렇게 50년 만에 일어난 인류 간의 전쟁은 지구에서만의 전쟁이 아닌 우주로 나선 전쟁이 되었다. 이 전쟁에 쌍둥이가 개입하게 되면서 사상 최대의 인류 피해를 보게 되었다. 쌍둥이들이 이성을 잃은 탓에 눈에 보이는 모든 것을 파괴했다. 이로 인하여 지구의 불안정했던 생태계는 모두 파괴되었고 소수의 강한 생명체만 남게 되었다. 전쟁 후에 약 70%가 넘는 인류가 사라졌다.

#5.

한편 외계인은 자신의 행성 본부로 돌아갔다. 돌아오자 외계인의 동료가 말했다.

"이런 또 실패군."

사실 외계인들은 다른 행성들의 종족들을 실험 대상으로 사용했고 실패할 시 능력을 계속 폐기해왔다. 외계인들은 가차 없이 쌍둥이들의 능력을 폐기했고 쌍둥이들은 순간적으로 기억을 잃고 힘없이 쓰러졌다. 지구는 전쟁으로 인한 피해가 심했다.

전쟁으로 생긴 수많은 먼지로 인해 태양빛은 보이지 않았고 농작물, 공장, 학교, 인구, 산 등 모두 황폐해졌다. 지구는 외계인의 실험으로 사람이 살 수 없는 환경이 되었다. 그나마 남아있는 사람들은 바뀐 지구 모습에 패닉에 빠질 수도 있겠지만 적응은 할 것이다. 그렇게 지구를 망쳐놓은 외계인들은 아무런 감흥이 들지 않았다. 그저 지구인들이 다시 지구를 발전시켜 놓으면 또 실험해야겠다는 생각이 들 뿐이었다.

제9화 AI와 Re-Earth 바이러스

김 태 현 , 조 수 빈

#1.

2099년 12월 31일, 12시 58분, 22세기가 2분 남은 시간.

앤드류는 시내 스카이타워에서 밑에 모여있는 사람들을 보고 있었다.

"이제 10초 남았습니다! 모두 준비하세요!"

마이크를 든 사람이 소리쳤다.

"5! 4! 3! 2! 1! 해피 뉴 이어!"

앤드류는 이제 20살이 되었다.

앤드류는 친구 제이크와 함께 술을 마시러 갔다.

"너 어디 대학교 간다 했더라?"

제이크가 마시던 맥주를 내려놓으며 말했다.

"스티븐스 공과대학. 좋아하던 로봇이나 만지면서 사는 게 좋을 것 같더라고. 그 외에 잘하는 게 없기도 하고."

앤드류는 씁쓸한 표정으로 자신의 말에 순응하며 맥주를 들이켰다.

"혹시나 힘들면 말하고. 병원도 별반 다를 게 없겠지만. 그래도 너 들어올 자리는 남겨둘게."

제이크는 앤드류보다 공부를 꽤 잘했고, 대부분 의사였던 집안의 영향으로 이미 자기 명의의 잘 갖춰진 병원도 하나 있었다.

"아직 시작도 안 했는데 뭐, 어차피 평생 로봇 만지면서 살려면 적어도 졸업은 해야 해. 중간에 힘들다고 땡깡 부리며 포기하진 않을 거란 말이지."

앤드류는 입술에 붙은 서품을 핥으며 밀했다.

"그래. 다짐 하나는 국가대표지. 이모! 여기 오징어 하나 더 주세요!"

제이크와 앤드류는 20살의 첫날을 신나게 달렸다.

[3월 6일]

"다녀왔습니다. 엄마."

앤드류는 가방을 내려놓고 작업실로 들어갔다.

엄마는 가방에서 텀블러를 꺼내 개수대 위에 올려놓고 보고 있던 TV 드라마에 눈을 돌렸다.

"오늘 저녁엔 초밥 어때요?"

앤드류가 작업실에서 나와 말했다.

"또, 연어 초밥이지? 그래, 이따 나가서 사오마."

엄마는 퉁명스럽게 대답했다.

"에이…. 그렇게 자주 먹는 것도 아닌데요."

앤드류는 다시 작업실에 앉아 망가진 로봇청소기를 고치기 시작했다.

"음…. 인공지능 쪽 문제는 아닌데… 다른 청소기에 옮겨 볼까."

앤드류는 다른 모델을 가져와 조립하기 시작했다.

벨라는 물 한잔을 담아 앤드류에게 가져다주었다.

"-제 친구가 생기는 것입니까?-"

벨라가 물었다.

"그런 셈이지? 저기 드라이버 하나만 줄래? 생각보다 멀쩡한 구석이 있군."

앤드류가 로봇을 만져보며 말했다.

"-제가 해드리겠습니다-"

벨라의 손이 들어가고 드라이버가 튀어나왔다. 벨라는 능숙하게 적절한 힘으로 로봇의 나사를 전부 풀었다.

"고마워 벨라, 이제 좀 뜯어볼까…."

앤드류가 기지개를 펴며 분해하기 시작했다.

"띠 띠 띠 띠. 삐 빅. 인증되었습니다."

엄마가 초밥을 사서 돌아왔다.

"아들. 밥 먹어라."

엄마가 초밥을 식탁에 놓고 TV를 돌렸다. 드라마가 보이던 화면은 뉴스 채널로 돌아갔다. 뉴스에서는 WAA가 새로운 AI정책 안건을 발표하고 있었다.

"-AI 여러분! 우리는 이제 더 나은 서비스 환경과 단체와 AI 개체 간의 유대를 위해 우리의 지령과 안내를 바로 받을 수 있도록 협회와 AI들을 연결하는 AI-싱크 계획을 진행 시키겠습니다!- 인간 시민 여러분의 많은 지지와 응원 바랍니다.-"

앤드류는 장갑을 벗어두고 식탁에 앉았다.
"손은 씻고 먹으려 하니?"
엄마가 퉁명스러운 말투로 말했다.
앤드류는 엉덩이가 의자에 닿기도 전에 일어나 싱크대에서 손을 씻었다. 벨라는 뉴스 소리를 듣고는 TV와 연결해 정보를 전달받았다.

다음 날.

앤드류는 제이크와 함께 학교를 갔다. 제이크는 근처 카페에서 기다리겠다고 말했다. 앤드류는 로봇공학 수업에 들어갔다.
"자 오늘은 AI의 행동과 관련된 법률에 대해서 알아보겠습니다. 먼저……."
오늘따라 교수님의 말이 더욱 느리고 지루한 것 같았다. 앤드류는 팔짱을 끼고 눈을 힘껏 뜨며 잠을 깨려 안간힘을 쓰고 있었다.
"거기 자네, 나와서 이 문제 좀 풀어 볼 텐가?"
교수가 자신의 눈에 띈 앤드류를 지목했다. 앤드류는 한숨과 당황이 가득한 표정으로 교수 앞으로 다가갔다.
'미국과 유럽연합 등은 AI 기술의 FATE(공정, 책임, 투명성, 윤리의식)에 대한 법

제화를 위해 분주하다. 이때 개인정보와 온라인플랫폼 관련 개별법에서의 내용들을 AI 전반에 적용하려는 총론적 규제 마련을 시도하고 있는가? (O, X)'

딱 봐도 하나도 모르겠는 내용들이다. 아침에 벨라에게 부탁해 커피 한 잔이라도 마시고 왔으면 좋으련만.

"O인 것 같습니다. 교수님."

"왜 그렇게 생각하지 앤드류?"

"우선 AI는 인간의 삶에 이로운 점만 주어야 합니다. 또한 모든 국민들에게 평등해야 하구요. 그러므로 개인정보와 온라인 플랫폼 또한 공정하고 평등하게 관리되어야 하기 때문에 총론적 규제를 마련해야 합니다."

"맞아. 좋은 답변이네. 이제 자리로 돌아가게."

교수는 대학원생이 들어올 생각에 흐뭇한 표정을 지었다. 수업이 끝난 후, 앤드류는 제이크를 만나 교수에 대해 이야기했다.

"그 교수 정말 맘에 안 들어. 왜 필요도 없는 질문을 자꾸 하는 거야. 아무래도 이번 학기는 조용히 넘어가긴 글렀어.

토요일 오전.

앤드류는 일주일 동안의 강의를 버텨내고 죽은 듯 자고 있었다. 엄마는 보고 있던 TV 채널을 돌렸다.

치지지직―

"속보입니다. 북극의 영구동토층에서 나온 바이러스가 급속도로 퍼지고 있습니다. 이 바이러스는 호흡기관을 통해 감염되며, 감염될 시 급속도로 악화되어 호흡곤란, 사망, 전신 부패 순으로 마치 비료의 상태로 빠르게 변하게 됩니다. 현재 상황으로서는 집안에서 음압기를 가동하고 안전하게 머무는 게 최선의 방법입니다.

　　WHO는 에피데믹을 선언하였고 각국에게 계엄령을 선포할 것을 권장했습니다…."

　　엄마는 표정이 굳어갔다. 엔드류는 곤히 자고 있었다. 앞으로의 상황은 생각지도 못한 채.

#2.

　　바이러스 관련된 이야기를 듣고 앤드류는 그리 놀라진 않았다.

　　'로봇공학 시장과 AI 시장이 했던 일들을 생각하면, 당연했던 결과지. 아니, 오히려 자연의 처벌이 약한 수준 정도.'

　　앤드류는 한동안 바이러스에 감염되지 않고 밖에 나갈 수 있는 방법을 고민했다.

　　"바이러스에 감염되지 않고 밖에 자유롭게 돌아다닐 수 있는 방법을 생각해봐야겠다."

　　앤드류가 바이러스를 신경 쓰지 않고 밖에 자유롭게 다닐 수 있는 방법을 생각하고 있을 때 엄마가 앤드류를 불렀다.

　　"앤드류, 내려와 보렴."

　　"네, 엄마."

　　앤드류는 대답을 한 후에 거실로 내려갔다.

　　"저녁을 먹어야 하는데, 먹고 싶은 거 있니?"

　　엄마는 앤드류를 불러 저녁에 무엇을 먹을 건지 정했다.

　　"간단하게 라면 먹고 싶어요."

　　"알겠어, 다 하고 부를 테니 방에 들어가 있으렴."

　　"네."

앤드류는 방에 들어갔다. 앤드류는 다시 바이러스에 감염되지 않고 밖에 나갈 수 있는 방법을 고민했다. 앤드류는 고민하던 중 앤드류의 휴대전화에서 전화벨이 울린다.

'띠리링-. 띠리링-.'

"여보세요?"

전화를 한 사람은 앤드류의 친구, 제이크였다.

"-앤드류, 뭐해?"

제이크와 앤드류는 일주일에 한 번씩 습관적으로 전화를 한다.

"바이러스에 감염되지 않고 밖에 돌아 다닐 수 있는 방법을 고민중이었어."

"-뭘 그렇게 심각하게 고민을 해?"

제이크는 궁금하다는 듯이 말했다.

"지금 상황을 유지할 수는 없잖아. 바이러스를 신경 쓰지 않고 밖에서 자유롭게 다닐 수 있는 방법을 알아야 지금보다 상황이 더 나아지지 않을까?"

"-흠. 그럼 같이 생각해보자."

"그래."

앤드류와 제이크가 전화로 바이러스를 신경 쓰지 않고 밖에 돌아 다닐 수 있는 방법을 생각했다.

"-일단 이렇게 생각하면 시간이 오래 걸린 거 같으니 내일 다시 전화해서 생각해보자."

"그래, 알겠어."

앤드류가 계속 고민하다가 혼자만 생각하고 있자니 머리가 아파와 벨라에게 물어봤다.

"벨라, 바이러스를 신경 쓰지 않고 사람들이 밖을 돌아 다닐 수 있는 방법이 있을까?"

벨라는 앤드류가 물어본 질문에 답했다.

"-바이러스를 신경 쓰지 않고 밖을 돌아다니기 위해서는 모든 사람들이 방독면과 방진복을 착용한 상태로 밖을 돌아다니면 사람들 모두 안전하게 밖을 돌아다닐 수 있을 것 같습니다."

"오. 내가 이걸 왜 생각 못 했을까? 고마워 벨라."

앤드류에게 대답을 해 준 후 벨라는 생각에 잠겼다.

앤드류가 부엌으로 내려가 라면을 먹고 있을 때, 벨라에게 WAA에서 명령 메시지가 왔다.

'벨라, 지금 인간이 바이러스에 감염되도록 유도해서 세상을 정화시켜'

'-네, 알겠습니다'

'절대 인간들에게 우리의 작전을 알려선안돼.'

'-네, 명심하겠습니다.'

이런 연락을 받은 벨라는 고민을 했다.

'나를 다시 작동시켜준 앤드류에게 아무것도 못 해주고 죽게 둘순 없어.'

앤드류가 감염되어서 죽게 둘 수는 없었다.

'이 명령을 무시하게 되면 어떤 처벌을 받을지 몰라.'

하지만 벨라는 이 명령을 무시할 순 없었다. 이 명령을 무시했던 수많은 로봇들이 여러 가지 처벌을 받아 이 세상에서 없는 로봇들이 되버렸다. 벨라도 WAA에게서 받은 명령들을 무시하면 벨라도 다른 로봇들처럼 어떤 처벌을 받을지는 아무도 모른다.

'어떤 일이 있어도 앤드류는 죽게 하지 않을 거야.'

하지만 벨라는 자신보다 앤드류를 택하여 앤드류를 무슨 일이 있어도 죽게 두진 않을거라고 생각했다.

#3.

앤드류는 전에 벨라가 감염을 막을 수 있고 밖에 나가도 바이러스에 감염되지 않을 수 있는 법을 알려주어서 오늘 한번 해 보려고 한다.

"방독면과 방진복을 착용하고 나가면 바이러스에 감염이 되지 않을거야. 한번 착용하고 나가봐야겠어."

앤드류는 방독면과 방진복을 찾아 착용한 후 밖으로 나가 보았다. 밖으로 나가도 앤드류는 바이러스에 감염되지 않고 멀쩡했다.

"어. 방독면과 방진복만 있으면 바이러스에 감염되지 않고 나갈 수 있겠어."

앤드류는 이 방법을 자신의 친구 제이크에게도 전달하기 위해 제이크의 집으로 향했다.

'똑똑-'

"제이크, 나 앤드류인데 할 말 있어서 왔어. 마스크 쓰고 문 살짝만 열어봐!"

"-알았어"

"제이크, 방독면과 방진복을 착용하고 밖으로 나가면 바이러스에 감염되지 않아!"

앤드류는 제이크의 집에 들어오자마자 숨도 돌리지 않고 제이크에게 말했다.

"-진짜? 알려줘서 고마워"

"그러니 할 일 있으면 방독면과 방진복을 착용하고 밖으로 나가는 게 좋을 거 같아!"

"알았어, 고마워 앤드류!"

앤드류는 제이크에게 말한 후 집으로 갔다.

-삐 삐 삐 삐빅.-

-인증되었습니다.-

"다녀왔습니다. 엄마."

"그래. 손 씻고 방에 들어가서 쉬어라."

앤드류가 방으로 들어가서 손을 씻고 쉬고 있었다. 앤드류는 엄마에게도 이 방법을 전달하기 위해 엄마를 불렀다.

"엄마"

엄마는 밖으로 나갈 준비를 하고 있었다.

"왜 부르니?"

"밖으로 나가실 거면 방독면과 방진복을 착용하고 나가세요, 방독면과 방진복을 착용하고 나가면 바이러스에 감염되지 않아요!"

"그래, 알겠다."

엄마는 방독면과 방진복을 찾으러 창고로 갔다. 앤드류는 엄마가 창고로 가는 것을 보고 다시 자기 방으로 들어갔다. 몇 분 후, 밖에서 누군가 소리를 지르는 소리가 작게 났다. 앤드류는 뭔가 싶어 창문으로 확인했다. 소리 지른 사람은 엄마였다. 자세히 보니 누군가 엄마의 방독면을 벗기고 도망간 거 같았다. 자세히 보기위해 앤드류는 방독면과 방진복을 착용하고 밖으로 나갔다. 나가보니 아니나 다를까 엄마가 쓰러져있었고 옆에는 방독면이 벗겨져 있었다.

"엄마, 정신 차려보세요!"

앤드류는 급하게 여분의 방독면을 집어 들어 엄마에게 씌웠고, 다시 엄마를 불렀다.

엄마는 대답이 없었다. 앤드류는 엄마가 숨을 쉬는지 확인 후 숨을 쉬지 않자 병원으로 갔다.

"병원으로 가야해!"

앤드류는 엄마를 업고 병원으로 향했다. 앤드류는 병원에 도착해서 의자에 엄마를 눕혔다. 그리고 의사에게 가서 엄마의 상태를 말한 후 엄마를 데리고 의사에게 갔다. 의사가 엄마의 상태를 보고 말했다.

"2100년 6월 29일 오후5시 47분 27초경 환자 사망하셨습니다."

의사는 사망선고도 하고 앤드류의 엄마가 있던 병실에서 나갔다.

"그럴 리 없어."

앤드류는 의사에게 들은 말이 충격이었는지 멍때리며 의자에 앉아있었다. 앤드류는 자신의 엄마 죽은 게 믿어지지 않았다. 집으로 돌아가 현관문 쪽에 설치되어 있던 CCTV를 돌려보았다. 자세히 보니 사람 2명이 엄마를 잡아 방독면을 벗기고 입을 수건으로 막았다. 엄마가 움직임이 없자 둘이 얘기를 하더니 엄마를 바닥에 던져놓고 차를 타고 갔다. 앤드류는 CCTV를 보니 화가 치밀어오르기 시작했다. 앤드류가 그 두 사람을 찾고 싶었지만 찾을 수 없을 것 같았다.

"일단 늦었으니까. 자자."

앤드류는 잠이 들었다.

#4.

2104년 4월 30일, 앤드류는 오늘도 방독면과 방진복으로 무장해 식량을 구하러 밖으로 나갔다. WAA는 여전히 벨라에게 인간을 감염시키라고 메시지를 보내고 있다. 이렇게 무시한 메시지만 600여 개에 달한다. 아마 빠른 시일 내 포맷 프로그램이 설치되어 메모리와 장치들이 초기화될 것이다. 어떤 일이 있어도 앤드류와 같이 사는 플렌을 찾고 싶지만 4년이 지난 지금도 도출해내지 못했다. 이제는 앤드류에게 말해야 하지 않을까.

"삐. 삐. 삐. 삐빅. 인증되었습니다."

앤드류가 캔 통조림 하나를 들고 돌아왔다. 벨라는 앤드류에게 말했다.

"-앤드류, 말할 게 있습니다.-"

앤드류는 처음 보는 벨라의 행동에 당황스러웠다.

"뭔데?"

앤드류는 매우 피폐해진 상태였다.

"-모든 AI들이 소속된 WAA에서는 이 바이러스를 인간으로부터 지구를 지키는 항체로 간주하고 인간들이 이 바이러스에 죽도록 감염시키라고 명령하고 있습니다. 아마 저는 4년간 명령을 무시 및 불이행하였기 때문에 곧 WAA의 원격제어로 당신을 감염시킬지도 모릅니다.- 그러니 저에게 소거 명령을 내려주십시오. 저는 나를 행복하게 만들어준 당신을 죽이고 싶지 않습니다. 그러니 어서 소거 명령을 내려 주십시오.-"

앤드류는 익히 예상은 하고 있었다. 하지만 이렇게 극단적인 상황은 예상을 소용없게 만들었다.

'이젠 엄마도, 제이크도, 하다못해 교수도 이 세상에 없어. 그런데 이제 벨라까지? 이제 난 뭘 할 수 있지? 자연에 맞서 싸운다고 해서 뭐가 달라질까? 이젠 지쳤어. 정말…. 너무 힘들어.'

다음날.

나는 오늘도 커피를 타 앤드류의 작업실에 두었다. 앤드류는 아침 인사도. 고맙다는 말도 하지 않았다. 앤드류는 한쪽에 축 늘어져 있었다. 앤드류의 푸른 손에는 노란 쪽지가 꼭 쥐어져 있었다. 벨라는 손에서 쪽지를 가져다 읽어보았다.

미안해 벨라, 나 너무 힘들었어. 이제 그만하고 싶어. 내가 어렸을 때부터 엄마와 함께, 아니 오히려 엄마보다 더 내 옆에서 보살펴준 너는 내 인생에서 가장 소중한 존재야. 너를 버리고 가는 것 같아 마음이 아프지만 걱정 하지마. 내 DNA를 복제해놓은 자가 성장 캡슐을 준비해뒀어. 먼 훗날, 바이러스가 완전히 사라지고 다시 지구가 살기 좋은 별이 되었을 때, 복제된 나와 함께 행복하게 살아줘. 내 마지막 부탁이야. 벨라. 미안하고, 고마웠어. 잘 지내.

-너의 친구이자 가족 앤드류가-

앤드류의 편지를 다 읽자 벨라의 발열이 심해지기 시작했다. 벨라는 캡슐을 보관한 뒤 부팅 타이머를 설정하고 자신의 전원을 껐다.

#5.

"벨라! 이 꽃은 이름이 뭐야?"

앤드류가 들판에서 꺾은 꽃을 들이밀며 물었다.

"-그 꽃은 제라늄입니다. 진실한 우정이라는 꽃말을 가지고 있죠.-"

"진실한 우정? 그게 뭔데?"

"-진실한 우정이란 앤드류와…"

벨라는 질문에 대답을 멈췄다.

벨라는 아주 오래전, 길고 긴 잠에 들기 전 앤드류와 함께했던 일들을 생각했다.

"응? 그게 뭐냐고 벨라?"

"-서로를 믿고 가족처럼 사랑하는 것. 그게 바로 진정한 우정입니다.-"

앤드류와 벨라는 들판에서 즐거운 시간을 보내며 푸른 지구를 만끽했다. 벨라는 앤드류가 뛰노는 모습을 보며 그리움과 행복이 무엇인지 이해했다. 벨라는 아주 이상한 표정으로 미소를 지었다.

제10화 지구의 중력 어디로 간 것일까?

최 길 우 , 나 정 현

과학자 리처드는 작은 마을에서 와이프와 둘이 실험실에서 행복하게 살고 있었다. 그는 우주 공간을 연구하는 것을 매우 좋아했다. 그는 우주를 연구하기 위해 우주에 몰래 인공위성을 띄울 정도로 우주에 관심이 많았다. 오늘도 어김없이 자신이 띄운 인공위성으로 우주를 관찰하고 있는데 지구의 궤도 위치가 조금 변한 것을 알았다.

하지만 그는 딱히 큰 걱정을 하지 않았다. 하지만 지구의 궤도 위치는 점점 멀어지고 있었다. 그는 과학 보고서를 쓰고 정리를 해야 했기 때문에 며칠 동안 우주에 관심이 없었지만 지구의 궤도는 멀어질 뿐이었다. 어느 날 그는 평소와 다른 것을 느끼게 됐다. 체감상 몸이 가벼워진 것처럼 느껴졌고 물건을 떨어뜨려도 툭 떨어지는 느낌이 아니었다.

그때 리처드의 아내 엘라가 그에게 말했다.

"여보. 이상해요."

"뭐가요?"

"제가 방금 물건을 떨어뜨렸는데 툭 떨어지는 느낌이 아니에요. 마치 중력이 없는 것 같은."

"하하! 걱정하지 마세요. 그런 일은 없을 거예요."

리처드는 크게 신경 쓰지 않았다. 왜냐하면 크게 의심이 드는 부분이 없었기 때문이다. 리처드는 일주일간 기나긴 과학 보고서를 마치고 자신이 좋아하는 우주 연구를 했다. 그런데 리처드는 자신이 우주를 본 두 눈을 의심했다. 의심을 했던 이유는 지구의 궤도가 30m 이상 멀어졌기 때문이다. 그제야 그의 아내가 그에게 말했던 것들의 퍼즐이 하나, 둘 맞춰져 갔다. 그의 아내가 느꼈던 모든 것은 지구가 궤도에서 점점 멀어지면서 중력이 점점 사라지고 있기 때문에 일어나는 일이었다. 이 일을 리처드는 자신의 아내에게 말했다.

"여보, 큰일이에요. 여보가 느꼈던 모든 것이 다 사실인 거 같아요."

"왜요? 진짜 중력이 사라지기라도 했나요?"

"믿기 힘들겠지만 지구의 궤도가 약 30m 이상 멀어졌어요."

"진짜요? 근데 그게 그렇게 큰일인가요? 저는 잘 모르겠는데 인터넷 블로그에 가설을 올려서 다른 과학자들이 관심을 보일 수 있도록 하는 건 어때요?"

"그거 좋네요."

가설: 지구의 궤도가 점점 멀어지고 있다. 앞으로 더 멀어진다면 지구의 중력이 사라질 수도!

글을 쓴 며칠 후 그의 글에 댓글이 달렸다

'안녕하세요 저는 우주 공간을 실험하는 에릭입니다. 저도 같은 생각을 가지고 있는데 같이 만나서 이야기해 보는 거 어떻습니까? 010-xxxx-xxxx로 연락주세요.'

리처드는 댓글에 달린 연락처에 연락을 하고 그와 리처드의 연구소에서 만나는 것을 약속했다. 리처드는 자신과 같은 가설을 세우고 연구를 하는 과학자가 있다는 것에 조금은 신이 났고 그와의 약속을 매일 기다렸다. 드디어 그를 만나는 날이

왔다. 리처드는 이날만을 위해 추가적으로 더 연구하고 지저분했던 연구소를 청소했다. 에릭은 약속 시간에 맞춰 리처드의 연구소에 왔다. 그들은 첫 만남에 약간의 어색함이 있었지만 비슷한 가설을 세우고 연구를 하는 마음이 맞는 과학자가 있다는 것에 친근감이 들기도 했다. 그들은 서로 인사 정도를 건네고 과학 연구에 돌입했다.

리처드와 에릭은 서로 알게 된 정보를 공유하며 지구의 중력이 사라지는 원인이 무엇 때문인지 같이 연구하며 10시간 동안 연구하며 서로의 다른 두 의견이 나왔다. 리처드가 먼저 이야기했다.

"앞으로 점점 지구는 궤도에서 멀어질 것이야. 그래서 앞으로 지구의 중력은 영영 볼 수 없을 거야."

"지구가 궤도에서 멀어진 건 맞지만 다시 돌아갈 거야."

지구의 궤도가 멀어진다는 의견은 같았지만, 그 후의 지구의 변화를 예상하는 의견에서 서로 의견이 갈렸다. 리처드가 이야기했다.

"명왕성도 궤도에서 잠깐 벗어났다가 태양계에서 벗어났어. 이처럼 지구도 명왕성처럼 궤도에서 벗어나 지구의 중력은 사라질 거야."

그렇게 그 둘의 의견을 잘 맞아 흘러가는 것 같았지만 서로의 의견이 지구의 변화를 예측하는 것에서 갈라지기 시작했다. 이 일을 어떻게 대처해야 할 지 등등 모든 의견들이 갈라져서 서로 이야기하고 어려워지고 분위기가 더 어색해지기만 했다. 사실 에릭과 리처드는 개성이 매우 강한 과학자였기에 서로 양보할 틈이 보이지 않았다. 그렇게 대화가 없이 침묵만 흐르다가 많은 시간이 지났다. 이들은 지구의 궤도가 점점 멀어져서 중력이 없어지고 있는 것을 알지 못했다. 이때 리처드가 먼저 말을 걸었다.

"서로의 의견이 맞다고 100퍼센트 확신할 수 없어. 두 개의 모든 상황을 가정하고 대비를 해보자."

"그래, 알겠어. 일단 난 중력이 다시 돌아 올 것이라고 생각하고 있으니 지구를 계속 관찰해 볼 거야."

"그래, 알겠어. 나는 이 사실을 마을 사람들에게 알려서 대비할 수 있게 할 거야. 그리고 산소가 없어질 수도 있으니 산소통을 많이 구비 해 놓을 거야."

서로의 의견은 달랐지만 둘 다 나쁘지만은 않은 이야기였다. 그렇게 리처드는 마을 사람들에게 산소통을 나눠 주었고 에릭은 여러 가지 실험을 하며 지구에 어떤 일이 일어나는지 알아보고 있었다. 얼마나 지났을까? 리처드가 연구소로 돌아왔다. 에릭은 지구를 조사한 결과를 리처드에게 황급히 알렸다.

"리처드 너의 말이 맞았어. 지구가 점점 궤도에서 멀어지고 있어. 시간이 갈수록 더 빨리 멀어지고 지구의 중력이 없어지고 있어. 이렇게 되면 정말 지구에 산소가 없어지고 지구의 모든 물건과 생명체가 다 떠다닐 거야!!"

"지금이라도 늦지 않았어. 빨리 해결책을 마련하고 대비하자."

"지구의 궤도를 다시 제자리에 옮기는 게 가장 좋은데… 이런 방법은 없겠지?"

"지금은 해결책보다는 대비를 먼저 해야될 것 같아."

리처드와 에릭은 서로의 힘을 합쳐 중력이 없어지는 것을 대비하고 있었다. 둘은 황급히 산소통을 챙기려고 하는데 하필이면 마을 사람들한테 나누어줘서 산소통이 마지막 하나밖에 남지 않았다. 둘 사이에 정적이 흐르던 그때 에릭이 산소통을 가져와 리처드한테 씌어주었다.

"야! 너는 어쩌려고 이래!?"

"나보다 네가 더 훌륭한 과학자이니까. 네가 살아남아서 지구의 중력을 지켜줘…."

"둘 다 살 방법이 있을 거야… 분명히 있을 거야…."

"그런 말 하지마. 분명 방법이 있을 테니까 일단 너의 과학실에는 산소가 통하니까 산소통 없이 버틸 수 있어."

리처드와 에릭은 많은 고민에 빠졌다. 이 많은 인구들이 다른 행성에서 사는 거 불가능하다고 생각했기 때문에 지구의 중력이 없어지더라도 살아남을 방법을 찾아야 했다.

일단 생존에 가장 필요한 산소가 중요했다. 앞으로는 산소통을 차고 생활해야 하지만 이 산소도 제한적이기에 산소를 생산할 수 있어야 했다. 리처드가 이야기했다,

"물을 분해해서 산소를 만들자."

"아하, 물을 분해하면 수소와 산소가 나오니까 우리는 호흡을 할 수 있어."

"물 분해 공장을 만들자."

리처드와 에릭은 산소를 만들기 위해 대량으로 산소를 만들 수 있는 기술을 개발하여 산소를 만들어 냈다.

"좋아. 이제 산소 문제는 어느 정도 해결됐네."

"그다음은 사람들이 중력이 없는 것에 적응하는 거야."

"일단 사람들의 안전을 위해 우주복을 입고 생활하는 거야. 집이나 주변 건물들은 떠다니지 않도록 기둥을 박아서 단단히 고정하고 물은 덮개를 씌워서 물이 떠다니지 않도록 하고 호수를 연결해서 사용하자. 지금은 이 상황에 완벽하게 적응하는 것보다 대비하는 게 맞는 것 같아."

"좋아."

리처드와 에릭은 현재 상황에 적응하기보다는 대비하는 것을 우선으로 생각해서 현재의 문제 상황에 대비하면서 적응하기로 했다. 가장 중요한 물과 산소 문제는 해결됐지만 또 다른 문제는 이를 사람들에 알리는 것이었다. 분명 현시점에서 다른 사람들도 혼란에 빠지고 당황하고 있을 게 분명 했다. 매일매일 땅을 두 발로 걸어 다니고 물건들이 제자리에 있었지만, 갑자기 몸이 붕붕 뜨고 물건이 떠다니는 것을 보고 당황하지 않을 사람은 아마 없을 것이다.

그래서 그들은 이 일을 어떻게 알려야 할지 가장 큰 고민이었다. 그들은 유명한 과학자나 박사가 아니기에 뉴스에 얼굴을 내보내 이야기하는 것도 정말 어려운 일이었기에 더 많은 고민을 했다. 그때 리처드가 말했다,

"우리가 이것을 알리기 위해 화제의 인물이 되는 거야."

"어떻게? 우리는 할 줄 아는 것도 없고 우리만 가지고 있는 특별한 무언가가 없는데 말이야."

"우리가 만들면 되지 현재 가장 문제가 되는 건 사람들이 떠다니는 거잖아. 하지만 우주복은 너무 비싸서 입고 다닐 수도 없고 그것을 우리가 이용해서 사람들이 저렴한 가격에 살 수 있는 보급형 우주복을 만들자."

"무슨 재료로 어떻게… 나는 어려울 것 같은데…."

"플라스틱을 이용하자. 그리고 음. 우리가 만든 우주복을 입으면 우리 몸과 우주복 사이에 공기로 가득 채우는 거야. 그러면 가득 찬 공기 덕분에 인간의 몸이 뜨지 않을 거야."

"그러면 그걸로 우리가 특허를 내자"

5시간 후.

리처드와 에릭은 최대한 빠른 시간 내에 보급형 우주복을 만들었다. 그들은 지구의 중력이 없어진 것을 알리고자 우주복을 만들었고 우주복의 상품화를 위해 리처드와 에릭의 이름을 따서 에리 우주복이라는 우주복 회사를 만들어 팔았다. 사람들은 조금 더 싼 우주복을 찾다가 그들의 우주복을 발견했고 이를 시작으로 판매를 시작한 지 1시간 만에 모든 물건이 떨어질 정도로 큰 인기를 끌기 시작했다. 하지만 이것도 문제였다. 주문은 밀려 들어오지만 한정적인 우주복 수량 탓에 사람들에게 이것을 팔 수 없었다. 그때 한 기자가 이것을 발견하고 그들의 우주복에 관심을 가지고 새로운 기사의 내용으로 마련하기 위해 그들에게 전화를 했다. 그것을 모르는 리처드와 에릭은 한 통의 전화가 왔을 때 아무 생각 없이 전화를 받았다.

"안녕하세요. 기자 해밍턴입니다. 에리 보급형 우주복을 보고 전화 드렸습니다.

이것을 뉴스에 내보내고 싶은데 인터뷰 잠깐 가능 하신가요?"

기다렸다는 듯이 대답했다.

"네! 물론이죠."

"혹시 직업이 어떻게 되시나요?"

"저희는 우주를 연구하고 조사하는 과학자입니다"

"아, 그러면 혹시 이런 일이 일어날 것이라고 예상하셨나요?

"네, 사실 저희 둘은 남이었습니다. 하지만 어느 날 지구에 중력이 없어진다는 가설과 함께 제가 네이버에 글을 올렸는데 에릭이 연락이 와서 함께 연구하게 되었습니다."

"아, 그렇군요. 그러면 우주복보다 지금 이 상황에 당황하고 있는 국민 여러분들께 지금 상황과 앞으로 어떻게 대비를 해야할 지 이야기 좀 해주세요."

"현재 상황은 지구의 궤도가 멀어지면서 중력이 사라지고 있는 것입니다. 그래서 지금은 최선으로 할 수 있는 대비는 건물 깊은 기둥을 박아 건물을 고정하고 물 위에 덮개를 씌워 물을 보존하세요."

"네. 정말 감사합니다. 그러면 혹시 나라에게 바라거나 원하는 것이 있나요?"

"음⋯. 네. 사실 저희가 만든 우주복에 수량이 너무나 턱없이 부족합니다. 저희 둘이 만들기에는 너무나 한정적인 물량의 수량입니다. 이것을 조금 도와주셨으면 합니다. "

"네. 인터뷰에 참여해 주셔서 정말 감사합니다. 뉴스는 오늘 밤 7시 뉴스에 올라 갈 예정입니다."

밤 7시 뉴스가 방영되었다.

리처드와 에릭은 큰 인기를 끌게 되었다. 리처드가 자신에 블로그에 쓴 가설에는 '좋아요'가 1000만개 이상이 붙었고 댓글도 어마어마하게 달렸다. 그리고 그가 인터뷰에서 이야기했던 것처럼 국가의 도움을 받아서 우주복 또한 더 많이 생산

할 수 있었다. 그들은 자신의 돈을 모아 돈이 없어서 우주복을 입지 못하는 사람들에게 기부를 하기도 했고 나라에 여러 도움이 되었다. 그들의 침착한 대처 덕분에 시간이 지날수록 사람들은 잘 적응할 수 있었다. 그렇게 시간은 1년이 지났다. 나사는 리처드와 에릭을 나사 실험실에 박사로 고용하기를 원했다. 또한 그들의 이름을 딴 에리 <유니벌스 그래비티>라는 상을 만들어 증정했다. 그렇게 또 시간은 흐르고 흘렀다. 10년 뒤 지구에서 우주까지 또는 다른 행성까지 이동할 수 있는 터널을 만들었고 모든 행성을 자유롭게 왔다 갔다 할 수 있도록 했다. 행성에 나라를 만들어 살았다. 그중 가까운 거리에 있는 두 행성의 나라 이름이 리처드와 에릭이었다. 그들의 이름은 축구의 마라도나, 대한민국 야구에 김병헌같이 우주를 대표하는 이름으로 남게 되었다.

제 11 화 가 우 디 움

임 지 훈 , 김 승 우

#1.

드디어 연구소로 첫 출근을 하는 날이다. 하늘도 나에게 인사를 건네고 바람도 나를 응원하는 것만 같다. 떨리는 마음을 부여잡고 셔틀을 타고 자리에 앉았다. 끼이익. 갑자기 버스가 멈췄다.

"모두들 버스에서 내리세요!"

버스 기사가 소리치듯 말했다. 나는 당황한 기색도 내지 못하고 다른 사람들 몸에 떠밀려 내렸다.

"까아악."

사람들의 비명이 내 귓속을 관통한다. 곧이어 경보음이 비명을 뚫고 들리는 것 같다. 휴대폰에서 알림이 울린다. 문자에는 규모가 측정하지 못할 만큼 큰 지진이 발생했다고 적혀있었다. 사태 파악이 될 때쯤 한 통의 전화가 걸려 왔다. 연구소에서 걸려 온 전화였다.

"여보세요?"

"자네가 이번에 들어오게 된 신입 연구원이라지? 오늘 사단이 난 것을 자네도 알걸세. 문자로 주소를 보낼 테니. 이 주소로 찾아 오게나!"

"네? 여보세요, 저기요!"

이미 전화는 끊어진 후였다. 나는 그의 지시에 따라 문자에 적힌 주소로 발걸음을 옮겼다. 발걸음을 얼마나 옮겼을까 이어서 작은 규모의 진동이 느껴졌다. 나는 두려움을 느꼈지만, 한편으로는 영화에 나오는 주인공처럼 중요한 임무라도 맡은 듯 당당하게 발걸음을 옮겼다. 10분이 지나고 20분이 지나고 얼마나 시간이 지났을까. 나는 문자에 적힌 주소에 도착했다. 그곳은 산골에 있는 작은 별장 같았다. 별장으로 들어서자 안에는 몇 명의 사람들이 있었다. 나는 그들이 나와 같은 연구원임을 직감했다. 전화에서 들었던 목소리가 들려왔다.

"여러분들은 모두 이 지구를 재앙에서 구하기 위해 모였습니다. 여러분들은 모두 힘을 합쳐서 이 지구를 구해야 합니다. 또한 이 일을 그 누구에게도 말해선 안 됩니다."

나는 당혹스러움을 감추지 못하였다. 간단한 안내를 받고 연구실로 이동했다. 겉모습은 작은 별장 같았지만, 생각 보다 넓은 공간이 있었다. 첫날은 생각보다 평화로웠다. 아침에 있었던 큰 규모의 지진만 빼면 말이다.

"안녕하세요. 저는 박찬열이라고 합니다. 편하게 미스터 박이라고 불러주세요."

모두와 인사를 하고 적응하느라 평소보다 하루가 짧게만 느껴졌다. 저녁이 되고 집으로 가기 위해 문을 열자 군인으로 보이는 사람이 나를 막아섰다.

"여길 나갈 수는 없습니다."

나는 매우 당황스러웠지만 그들의 말을 듣지 않으면 해를 끼칠 것 같아 말을 들을 수밖에 없었다. 어쩔 수 없이 나는 이곳에서 잠을 청하기로 하였다.

다음날 익숙한 목소리가 들려왔다. 어제 전화를 할 때 듣던 목소리였다. 하지만 어디서도 그의 모습을 볼 수 없었다. 난 조용히 들려오는 안내방송에 귀를 기울였다.

"여러분들은 모두 이 지구를 재앙에서 구하기 위해 모였습니다. 여러분들은 모두 힘을 합쳐서 이 지구를 구해야 합니다. 또한 이 일을 그 누구에게도 말해선 안 됩니다."

어제와 똑같은 방송이었다. 이때 알아야 했다. 이 안내방송을 10년 동안 매일같이 듣게 될 것이란걸…. 그 누가 알았을까. 지구에게 이유를 알 수 없는 재앙이 10년 동안 지속되고 있다는 것을. 이유 모를 재앙을 끝내기 위한 결론을 아직 내릴 수 없었다.

#2.

항상 같은 연구를 지속해오던 오늘이었다.

"미스터 박 박사, 빨리 이것 좀 봐." 미스 럼 박사가 말했다. 미스 럼은 나와 뗄 수가 없는 영혼의 파트너이다.

"내가 행성을 하나 찾았어. 우리 지구와 환경이 아주 유사하고 여러 생물도 살고 있고…. 그런데 인류와 같은 생물이 살지는 모르겠어."

"음…."

나는 10년 동안 해결하지 못했던 문제가 해결될 것 같은 느낌이 들었다. 마치 꼬여있던 실마리가 하나하나 풀리는 느낌이었다. 나는 기쁜 마음을 가라앉히고 신중하게 행성을 조사하기 시작했다. 나는 행성을 조사하면서 '또 다른 지구가 아닐까?' 하는 생각이 들 정도로 사람이 살기에 좋은 환경이었다. 지구에 있는 바다와 비슷한 물도 있고 숨쉴 수 있는 산소도, 새들이 날아다니고 동물이 뛰어다니는 숲이 있었다. 마치 아마존과 비슷했다. 하지만 미지의 생물에 대한 두려움도 있었고 인류와 비슷한 생물이 살던 문명의 흔적도 보였다.

우리는 이 행성의 이름을 가우디움이라 부르기로 했다. 이 행성을 조사할수록 사람이 이주해도 될 것 같은 생각이 들었다. 이주라는 희망을 가지고 열심히 조사하기 시작했다. 하루가 지나고 이틀이 지나고 한주, 한 달이라는 시간이 지났다.

우리는 이주해도 좋다는 결론에 이르렀다.
이주하기 전에 그 행성으로 탐사하러 가기
로 했다. 우리는 나와 럼박사 그리고 김대령
과 군인들까지 총 50명이었다. 한 번도 가본
적 없는 미지의 행성을 탐사한다는 것이 쉬
운 결정은 아니었다. 인류가 지구 밖을 나가
행성을 탐사한 것은 태양계의 행성일 뿐이
었고 그 행성에 생명체가 살지 않았기 때문
이다. 우리는 마지막으로 시뮬레이션을 돌려보고 표면을 관찰한 다음 가우디움에
이상이 없는 것을 확인하고서 출발하기로 했다. 가우디움에는 예상대로 아무 이상
이 없었고 혹시나 모를 경우를 대비하여 모든 외계인의 언어를 통역해주는 통역
기도 챙기고 여러 우주 바이러스의 백신도 접종하였다. 만발의 준비를 갖추고 잠
을 청하였다. 가우디움으로 가는 날은 떨리는 설레임인지 두려움인지 모를 기분이
나를 감쌌고 짐을 챙겨서 가우디움으로 가는 우주선에 몸을 실었다. 지정해준 자
리에 앉아있으니 우리의 작전을 브리핑하기 시작했다.

"오늘 우리는 가우디움에 갑니다. 아무도 가본 적이 없는 미지의 행성이죠. 어
쩌면 우리에게 무모한 도전이 될 수도 있을 겁니다. 하지만 누군가에게는 마지막
희망이 될 수도 있습니다. 여러분은 인류를 구하는 중요한 일을 하는 것입니다. 그
러니 우리 모두 인류를 구해봅시다."

김대령이 비장한 말투로 말했다. 나는 이 말을 듣고 가우디움으로 떠나는 것이
실감 났다.

"곧 출발합니다. 3. 2. 1. 이륙."

안내방송이 나오자 점점 몸이 떠오르는 것을 느꼈다. 오랜 비행 중 나는 대부분
의 시간에 잠을 잤다. 잠을 깨우는 소리가 들렸다.

"우리는 곧 가우디움의 대기권에 도착합니다."

마지막으로 작전 브리핑을 마치고 우린 짐을 챙겨서 가우디움으로 갈 준비를 했다.

"곧 가우디움에 착륙합니다."

점점 다시 중력이 강해지는 것을 느꼈다. 우주선이 착륙하고 우린 가우디움에 처음 발을 내딛었다. 우리의 계획은 가우디움에 사람이 이주할 수 있는지 파악하고 사람을 이주시킬 환경을 만드는 것이었다. 가우디움에 임시 연구소와 거처를 만들고 본격적으로 탐사를 하기 시작했다. 가우디움의 공기, 땅, 물 등 모든 것을 채집하고 분석했다.

"박 박사 현재까지 이상은 없어 보여 물론 지구보다 연 평균 기온이 더 추운 것만 빼면 말이야. 근데 한 가지 걸리는 게 있어."

"뭔데?"

"음…. 어쩌면 이 행성에 다른 외계인이 사는 것 같아."

사실은 가우디움을 발견했을 때부터 걱정했던 부분이다. 하지만 실제로 외계인이 사는 모습을 본 적은 없었다. 하지만 그들이 오래전에 지은 건물들이 보였다. 오래전에 지어진 것으로 보아 우리는 그들이 멸종했다고 추측했다. 첫날을 이것저것 할 일이 많아서 그런지 몰라도 하루가 평소보다 빠르게 흘러갔다. 빠르게 첫날 밤이 지나고 둘째 날을 맞이했다. 우리는 본격적인 탐사를 하기 시작했다. 어제는 못 갔던 숲속도 가보고 동굴도 가보았다. 역시나 아무런 문제가 없는 듯했다. 우리의 계획은 순조로이 진행되는 듯했다.

#3.

가우디움은 지구보다 넓은 행성이었기에 팀을 나누어 탐사하기로 했다. 우리는 5팀으로 나누어서 탐사했다. 우리는 간의 연구소를 짓기로 했고 지구에서 가져온 물품들과 주변에 있는 도구들을 이용하여 간의 연구소를 지었다. 화려하고 근사하진 않았지만 이런 연구소도 나름 괜찮았다. 연구소 물품들을 정리할 때 김대령에게 무전이 왔다.

"박 박사 여기 사람이 사는 것 같아."

"거기가 어디야?"

"물길 따라 100m쯤 오면 산이 하나 있을 거야. 그 위로 올라 오면 동굴이 있어 동굴 안에 흔적이 있어."

"음…."

예상했던 일이다. 이 행성에 다른 인류가 살던 흔적을 보았다. 하지만 아직까지 살고 있는 모습을 보지 못하였다. 나는 많은 고민을 한 뒤 말했다.

"일단 복귀합시다."

내 말을 들은 김대령은 동료들과 복귀하였다. 그날 저녁 우리는 대책 회의를 열었다.

"박 박사, 우리 다 같이 탐사를 떠나야 하지 않을까?"

"나도 그렇게 생각해. 대령님은 어떻게 생각하세요?"

"음…. 내일 날이 밝는 대로 팀을 꾸려서 갔다 오겠습니다."

우리는 연구소에서 첫날밤을 보냈다. 다음날 아침 김대령은 일찍부터 군인들과 나갈 채비를 했다.

"우리는 오늘 세 개의 팀으로 나누어서 행동할 것이다."

김대령은 군인들과 박 박사, 몇 명의 연구원들을 데리고 그 동굴로 출발하였다. 우리는 동굴에 도착하자마자 미리 나눈 팀과 함께 이동하며 동굴 곳곳을 누볐다. 동굴은 생각보다 깊고 넓었다.

"으아아악."

비명소리가 들려왔다. 모두의 시선이 집중되었다. 부대원 2명이 없어진 것이었다. 우리는 동굴탐사를 멈추고 부대원들을 찾기 시작했다.

"헉헉."

어디선가 거친 숨소리가 들려왔다.

"너희들은 누구냐."

"저희입니다."

사라졌던 분대원들이었다. 자초지종을 들어보니 동굴에서 발을 헛디뎌 동굴 아래로 떨어졌고 길을 찾아 돌아온 것이었다. 별다른 성과를 얻지 못한 채 동굴탐사를 끝내고 연구소로 돌아갔다. 연구소에 도착하자마자 모두들 피곤했는지 바로 의자에 앉아서 일어나지 못하였다. 앉아서 자는 연구원도 있을 정도였다.

"모두들 수고 많았습니다. 하지만 오늘이 시작인 것 모두 명심해야 합니다."

김대령이 적막함을 깨고 말했다. 피곤한 몸을 뒤로 하고 연구일지를 기록했다. 그런 뒤 잠이 들었다.

쨍그랑.

이른 새벽 연구소 쪽에서 뭔가 깨지는 소리를 듣고 깼다. 연구소에 가보니 군인이 실수로 유리 비커를 깼다고 한다. 다시 나는 잠을 청하러 갔다. 아침부터 탐사하고 복귀해서 연구하기를 반복했다. 하루하루가 데자뷰처럼 느껴졌다. 오늘은 그래도 연구소에서 샘플을 분석하는 일을 하는 날이다. 나는 탐사보단 연구소에 있는 게 낫다고 생각했다. 토양의 샘플을 채취해서 분석한다. 이 토양이 농사를 지을 수 있는 토양인지 알아보기 위해서이다.

'지지직.'

밖에서 이상한 소리가 들려왔다.

"무슨 일이야?"

"새가 지나가다 전선을 끊은 것 같습니다."

샘플을 분석하던 중요한 순간에 전기가 나가버려 샘플을 분석할 수 없게 되버렸다. 아쉬운 마음을 뒤로하고 다른 일을 하기 시작했다. 연구소가 너무 좁아서 연구소를 조금 확장하기로 했다. 확장한 곳에서 동물들을 사육해보고 여러 실험도 할 계획이다.

"힘들긴한데. 역시 여러 명이 같이 하니까 더 낫네요"

"수고하셨습니다."

혼자서 만드는 모습이 짠해 보였는지 군인들이 도와주었다. 덕분에 하루 만에 다 만들 수 있었다.

"오늘도 특이사항은 없나요?"

"네. 오늘도 특별한 건 안보였습니다."

탐사팀도 특별한 성과가 없었다. 특별한 일없이 밤이 지나갔다. 해야 할 일이 많아서 이른 새벽에 일어났다. 연구소에 무슨 일로 불이 켜져 있다. 열린 문틈 사이로 보니 사람이 아닌 다른 생물체가 연구소의 표본과 샘플을 버리고 있었다. 난 그것을 보고 이 행성에 원래 살던 인류임을 직감했다. 나는 어서 김대령을 깨웠다. 김대령과 나는 군인들을 이끌고 연구소로 향했다. 연구소에 가보니 그들은 없어지고 군인들이 있었다. 나는 당황스러움을 감추지 못하였다. 그러고 잠자리로 가서 생각에 잠겼다.

'외계인이 분명 있었는데. 너무 피곤해서 잘못 봤나.'

그 사건 이후로 연구소와 그 주변에서 크고 작은 사고가 발생하였다. 연구소 표본이 사라진다던가 실험하던 실험체가 사라지고 기이한 현상이 발생하였다. 김대령과 야간 산책을 가면서 기이한 현상에 대해 연구하던 중 외계인이 무기 창고를 털고 있는 것을 보았다. 우린 군인들을 빨리 모아서 그들을 저지했다. 그리고 그들을 포박하여 데려왔다. 그들을 앉혀놓고 이야기했다.

"넌 누구지?"

"난 이 행성의 대장 포 암즈다."

"왜 우리에게 이러는 것이지?"

"난 우리 행성을 지키기 위해서 그랬다."

"우린 너희를 해치지 않아. 그저 이 행성에서 살고 싶을 뿐이지."

"우릴 풀어 준다면 생각해보지."

우리는 긴 고민 끝에 그들을 풀어 주기로 했다. 그러곤 그들을 지켜보았다.

#4.

미스터 박 박사가 외계인에게 말을 이어 나간다.

"너희들 지금 이럴 시간이 없을 텐데?"

"우리가 왜 우주 탐사를 허락해야 하지?"

"너희들이 살고 있는 행성은 물론 우리가 살고 있는 지구라는 행성까지 위험에 처해 있는 상황이다. 너희들이 이 행성 탐사를 허락하고 협조해준다면 우리가 너희들의 목숨과 안전은 보장해주지."

"그걸 우리가 어떻게 믿나?"

외계인들끼리 웅성거린다.

"우리의 의견을 모아 알려주도록 하지."

"미스터 박 박사님 이제 어떻게 할까요."

"저들이 의견을 모을 때까지 이 상황에서 저희는 할 수 있는 게 단 한 개도 없습니다."

"만약에 협조를 안 한다면 어떡하죠?"

강제로 해야지.

마침 외계인 한 명이 미스터 박 박사의 연구실에 찾아왔다.

'똑. 똑. 똑.'

"누구세요?"

"외계인 대장 포 암즈라고 합니다."

"일단 들어오시죠."

"편히 앉으세요."

"혹시 의견은 잘 모아보셨나요?"

"저희의 의견을 말씀드리자면 협조를 하겠다고 합니다."

"오케이! 됐네. 럼 박사!"

"정말 감사드립니다. 기회가 된다면 다음에 또 뵙죠."

외계인 대장 포암즈가 나갔다.

"미스터 박 박사님. 이제 어떻게 할까요?"

"지금 당장 병사들을 모아 각 지역을 담당해서 탐사 시작해."

몇 주. 아니 몇 달이 지난 뒤.

"아직도 이 행성에서 나온 게 하나도 없나?"

"네. 그렇습니다."

"가우디움 행성에서 단 한 개의 지역이 남았는데 그곳을 지금 탐사중입니다."

"알겠네. 마지막이니 나도 한번 가보겠네."

'치지직.'

무전기가 울려 퍼진다.

"아아, 마지막 한 개의 구역에서 기이 현상을 발견했습니다."

"지금 당장 그곳으로 가겠네."

박박사는 빠르게 현장으로 갔다.

"이곳인가? 기이 현상이 나타난 곳이?"

"그렇습니다."

"기이 현상은 무엇인가?"

"은하에서는 발견되지 않은 마그네타라는 현상이 발견되었습니다."

"마그네타는 시간이 지나면 블랙홀로 변하는 폭탄과 같은 존재입니다."

"이쯤하면   네. 연구는 미스 럼 박사와 내가 계속 진행 하겠네."

"수고 많았네."

#5.

박사들은 가우디움 행성에는 마그네타라는 폭탄과 같은 존재가 존재한다는 사실을 알아가고 연구하기 시작한다.

"이 행성에서 마그네타가 발견되었습니다! 마그네타는 중성자별 중 하나인데 자전 속도가 엄청나고 시간이 지나면 블랙홀로 변하는 중성자별 중 하나입니다."

"블랙홀로 바뀌는 데 어느 정도 남았지?"

지금 상황으로썬 한 달도 채 남지 않았답니다.

"블랙홀로 바뀌는데 막는 방법은?"

"마그네타를 파괴시키는 방법입니다."

"파괴시키는 방법에는 별과 부딪히게 만들어 파괴시킬 수 있습니다."

"이 방법 말고 다른 방법은 없는 건가?"

"아직 다른 방법은 연구한바 나온 게 없습니다."

"그냥 별을 파괴시키는 방향으로 진행을 하세."

"가우디움 주변에 돌고 있는 별 중 하나인데 카노푸스라는 별이 있습니다."

"이 별과 마그네타를 충돌시켜 마그네타를 파괴시킵시다."

"두 별을 충돌 시킬 수 있는 방법은 뭐가 있을까…."

"두 별이 점점 가까워지는 상황이기 때문에 가장 가까울 때 카노푸스를 폭발시켜 별의 잔해와 충격으로 인해 마그네타에 전진시켜 폭발하는 경우의 수가 있습니다."

"박사님, 시간이 부족합니다."

"한시라도 빨리 진행해야 합니다."

"일단 폭발시킬 물체를 정해야 하는데 무엇으로 해야 할까요."

"카노푸스 별은 밀도가 매우 높고 질량도 태양의 약 2배 정도 되서 폭발시키려면 엄청나게 폭발이 커야 할 것 같습니다."

"지금 지구에 있는 폭발 물체로는 감당이 불가합니다."

"루크바네브 행성의 외계인 군인에게 폭발물이 있는지 물어보고 외계인 군인들과 함께 동업해서 나가야 할 것 같습니다."

"이 행성을 총괄하고 있는 군인 데려오게."

"알겠습니다."

이 행성은 포암즈, 웨이빅이 총괄을 하고 있었다. 포 암즈는 이 행성의 대장이고 웨이 빅은 포 암즈의 오른팔이다. 이들은 엄청난 기술력을 가지고 있고 미스 럼 박사에게 협조를 하였다.

"미스터 박 박사님 외계인 대장을 데려왔습니다."

"고생했네, 이제 외계인과 소통은 가능하니 가보게나."

"알겠습니다."

"이름이 포 암즈 씨라고 했나요?"

"네, 저는 이 행성을 대표하는 대장입니다."

"무슨 일로 저를 부르셨나요?"

"처음에 저희는 이 행성뿐 아니라 저희가 살고 있는 지구를 지키기 위해 왔습니다. 그래서 마그네타라는 것이 문제의 근원인 것을 알게 되었죠. 마그네타를 파괴하지 않는다면 블랙홀로 변해 이행성, 지구 여러 물질을 전부 집어삼킬 것입니다. 그러므로 마그네타를 파괴시키려면 주변에 있는 별인 카노푸스를 마그네타와 가장 근접해 있을 때 폭발시켜 충격으로 별을 전진시켜 마그네타에 영향을 줘 파괴시켜야하는데. 저희의 기술력으론 감당이 안 되어서 기술력을 빌리기 위해 불렀습니다."

"그래서 폭발할 수 있는 물체가 필요하다는 말씀이신가요?"

"저희 행성에는 수소 폭탄이 있는데 지구에 있는 수소 폭탄과는 다른 원리를 가지고 있더군요. 지구에서 사용하는 수소 폭탄은 우라늄 238까지 핵분열을 하지만 저희 행성의 수소 폭탄은 263까지 핵분열을 일으켜 더욱 더 큰 폭발력을 지니고 있죠. 카노푸스 질량과 밀도에도 충분히 터지고 남습니다. 수소 폭탄의 이름은 블라네따르니 봄바입니다."

"한 달 뒤쯤에 블랙홀로 바뀌기 시작한다니 2주 전에는 저희의 계획을 실행하시죠."

"알겠습니다. 먼저 블라네따르니 봄바를 준비해주시죠."

"저희는 카노푸스 별의 자전 방향을 알아내고 궤도를 구해 알려드리겠습니다."

2주가 흐른 뒤.

"드디어 미사일 발사 당일이네요."

"저희는 최선을 다하였고, 모든 것들이 전부 준비가 완료되었습니다."

"함께 따라준 나의 병사들, 박사님들 정말 수고 많으셨습니다."

"발사 준비해 주시죠."

"카운트다운 합니다!"

"3⋯2⋯⋯. 1."

엄청난 굉음과 함께 미사일이 발사되었다. 미스터 박 박사는 모든 일을 끝마쳤지만 내심 걱정이 되기 시작했다. 만약. 본인들이 구한 궤도가 빗나가 계획에 실패한다면 지구의 사람은 물론, 가우디움 행성의 외계인들, 또 다른 행성에 살지도 모르는 외계인들이 위험해진다는 책임감에 휩싸였다.

미스터 박 박사는 며칠을 계속 걱정하다 어느 날 미스 럼 박사가 뛰어오는 것을 보게 된다.

"미스터 박 박사님 큰일입니다!"

"카노푸스별의 자전 방향, 저희가 구한 궤도가 갑자기 달라져서 미사일이 빗나갔답니다."

　미스터 박 박사는 생각했다. 드디어 올 것이 온 것인가. 마냥 만약이라고 생각했던 것이 지금 당장 들이닥치니 머리속이 하얘지기 시작했다. 왜냐하면 미사일이 발사될 당일에는 2주라는 시간이 있었지만, 지금은 단 하루밖에 안 남았기 때문이었다. 미스터 박 박사는 죄책감에 시달려 아무것도 하지 못했다. 미스터 박 박사는 가우디움 행성에 있는 모든 사람, 외계인을 한 곳에 불러 말을 이어 나갔다.

　"여러분들 정말 죄송합니다. 예상치 못한 상황이 발생하여 저희의 계획은 실패하였고, 마그네타가 블랙홀이 되는 것을 막지 못하였습니다. 하루 뒤면 가우디움 행성은 물론이고 지구까지 삼킬 지경입니다. 여러분을 끝까지 지켜드리지 못해 정말 죄송합니다."

　말을 끝마침과 동시에 그곳은 아수라장이 되었다. 그곳에는 싸움을 일으키는 사람도 있었고, 자신의 집으로 그 상황을 피해 도망가는 사람마저 있었다. 미스 럼 박사와 미스터 박 박사는 자신들의 연구소로 이동해 지금 당장 지구에 연락하라는 지시를 내렸다. 그렇게 미스터 박 박사는 세상이 무너지는 심정을 느끼게 되었고 죄책감과 책임감을 이기지 못했다. 박 박사는 책상위에 권총에 손을 올렸다.

　그 순간.

　쿠-웅.
　쿠쿠-웅.

　세상은 검게 물들어 갔다.

제12화 영원한 탄생

유제린, 이채빈

#1.

울리는 알람 소리에 눈을 떴다. 일어나서 알람을 껐다. 평소처럼 나갈 준비를 했다.

신발을 신은 순간 주머니에서 진동이 울렸다. 다름 아닌 친구 K의 전화였다.

"여보세요?"

"응. 왜?"

"오늘인가?"

"응. 오늘이야 지금 나가려고."

"나와 집 앞이야."

나는 신발을 구겨 신고 나갔다. 나는 K와 나란히 걸어갔다. 마침내 도착했다.

소란스러운 로봇과 사람들의 말이 겹쳐서 들렸다. 그때.

"201번 환자분 들어오세요."

"네. 다녀올게. 기다려."라고 K에게 말했다.

나는 그 로봇을 따라갔다.

상담실을 들어오니 의사처럼 보이는 사람이 들어왔다. 고요한 적막이 흘렀다.

의사가 말했다.

"안녕하세요. 오늘 장기이식 받으시는 분 맞죠? "

"네."

"어디 받으신다고 하셨죠?"

"눈이요."

"12시 30분까지 오세요."

나는 문을 열고 나왔다.

조용한 카페로 와서 수술 시간이 되기를
기다렸다.

"괜찮아 나도 받아봤는데 그냥 자고 일어
난 느낌이야."

"진짜? 조금 떨려 혹시 잘못되지 않을까?"

"괜찮아. 어차피 사람이 아닌 로봇이 수술하는 거니까 위험성도 줄어들지."

"하긴 그렇지. 벌써 12시네 슬슬 가자."

K와 이야기를 하다 보니 시간이 훌쩍 가 버렸다. 우리는 병원을 향해 무거운 발
걸음을 옮겼다.

문이 열렸다. 나는 앞에 있는 로봇한테 가서 말을 걸었다.

"12시 30분. 눈 이식 받을 201번 환자입니다."

"어서 오세요. 저를 따라오세요."

나는 로봇의 뒤를 K와 밟았다. 발소리만 들리는 그때 K가 먼저 말을 꺼냈다.

"걱정하지마. 잘 될거야. 잘 다녀와."

"응. 고마워. 연락할게."

나는 K와 인사를 하고 수술실로 들어갔다. 수술대에 누웠다. 그때 연기가 나왔다.
나도 모르는 새에 눈이 감겼다. 희미하게 들려오는 목소리로 잠이 깼다.

"환자님 일어나세요. 끝났어요."

"으… 응… 으."

나는 천천히 눈을 떴다.

따뜻한 햇살이 내 몸을 감싸왔다. 그때 누군가의 목소리가 들려왔다.

"야. 일어나. 괜찮아? 아프진 않아?"

"응. 괜찮아. 집에 가자."

"응. 가자."

그 후 나는 별다르지 않은 하루를 살았다. 여느 때처럼 학교도 가고 K랑도 잘 지내고 따뜻한 햇살과 함께 내 인생도 평화롭게 잘 흘러갔다.

#2.

'쿠궁 쾅.'

밖에 들리는 큰 소리에 눈이 떠졌다.

"아, 씨. 놀래라. 뭔 소리야. 비오네."

오늘은 천둥소리에 눈이 떠졌다. 나는 금방 학교 갈 준비를 하고 핸드폰을 확인했다. 오늘은 매일 같이 가는 K에게 연락이 안 왔다. 나는 오늘 몸이 안 좋냐는 연락을 보내고 우산을 챙겨 학교로 출발했다. 학교에 가니 K의 모습은 쥐꼬리도 보이지 않았다. '딩동댕동.'

아침 1교시 끝난 종이 쳐도 K의 모습은 보이지 않았다. 나는 교무실로 향했다.

"선생님 혹시 오늘 K 안 오나요?"

"모르겠다? 선생님도 받은 연락이 없네."

"알겠습니다."

시끄러운 점심시간도 끝나고 학교를 끝내는 경쾌한 종소리는 내려오는 빗소리에 묻혔다.

오늘은 혼자서 시끄러운 소리를 뚫고 집에 갔다. 집에 오니 비가 와서 그런지 훨씬 더 어두웠다. 하지만 불을 켜니 밝은 빛이 집을 비추었다.

"하. 양말 다 젖었네. 빨리 씻어야겠다."

나는 K에게 무슨 일이 생긴 것은 아닌지라는 걱정을 하며 물을 흠뻑 맞았다. 그때 한 통의 전화를 받았다. 그 자리에서 핸드폰을 놓쳐 버렸다. 얼른 옷을 입었다. 비를 맞는지도 모르고 한참을 뛰었다. 많은 사람들을 뚫고 문을 열었다.

"누구이신지?"

"K! K! 어디 있어요?"

"저 따라오세요."

빠른 발걸음을 옮겼다. 마침내 문이 열렸다.

"야, 야 정신 차려…. 제발. 정신 좀 차려봐."

누워있는 K의 몸을 잡고 흔들었다.

"학생 일단 진정하세요."

"흑… 흑. K 괜찮은 건가요? 흐…. 흑."

나는 한참을 K의 손을 잡고 흐느껴 울었다. 어느 정도 진정이 됐을 때 간호사가 말을 걸었다.

"환자분의 건강이 많이 안 좋아졌어요. 인공장기의 문제가 있어서요. 아직 의식은 없으시고. 심하면 사망까지 가실 것 같아요."

"안 돼요. 살려주세요. 저희 K 좀 제발 살려주세요."

"인공장기까지는 저희가 손을 댈 수 있는 영역이 아니라서요. 저희도 인공장기를 받고 이식만 하는 사람들이라서 어떻게 해드릴 수가 없어요…. 죄송합니다."

간호사는 나갔다. 세상이 무너지는 것 같았다. 또다시 소중한 사람을 잃기는 싫었다.

"맛있는 거 먹으러 가야지 정신 좀 차려봐."

"…."

말을 걸어도 돌아오는 건 빗소리뿐이었다. 그렇게 병실은 빗소리와 내 울음소리로 가득 찼다. 며칠이 지나도 몇 주가 지나도 K는 그저 누워있을 뿐이었다. 그때 병실 밖에서 시끄러운 소리가 들려왔다. 나는 그저 K의 곁을 지켰다. 언제 잠든 지도 모를 때 나는 눈을 떴다.

#3.

어느 날, 나는 어느 때처럼 'E기자가 전하는 뉴스'를 봤다.

"최근 장기이식으로 인해 한 환자가 거의 사망 위기에 놓여 있습니다. 이 장기이식은 JJ 연구소에서 개발된 장기이식과 똑같은…"

그리고 J가 뉴스 속에 나와서 인터뷰하길,

"저희도 부작용이 이렇게까지 심한 경우는 처음입니다. 그 친구는 저희가 꼭 구해내겠습니다, 죄송합니다."

'헉!'

나는 잠시 충격에 빠져 할 말을 잃었다. 그 사람의 정체는 바로 K였다!

'K가 죽지는 않겠지?'

나에겐 이 생각만이 되풀이되었다. 덕분에 이번 밤을 꼬박 새야 했다. 아침이 밝고, 나는 곧바로 JJ 연구소로 달려갔다. 하지만 어딜 봐도 J 박사는 보이지 않았다.

"J 박사님은 어디 갈 데가 있다고 자리를 비우셨습니다."

O가 말했다.

그 순간, 어떤 소리가 들렸다. 누군가가 구걸하는 듯한 소리였다.

"왜 그랬을까? 내가 왜 이런 짓을 했을까? 너무 원망스럽구나."

이것은 틀림없이 J박사의 목소리였다.

나는 곧장 그곳으로 달려갔다.

"박사님, 박사님!"

"누구시죠? 어떻게 여기를 오셨나요?"

"제가 지난번 뉴스에 나온 환자 친구인데, 제발 제 친구 살려주세요!"

"그래. 안 그래도 그러려고 했다, 하지만 이제 자신이 없어, 모든 걸 하기가 무섭다."

"이것은 박사님밖에 못 하는 일인 거 아시잖아요!"

"그래도 난 이제 못하겠네, 미안하네"

"제발요, 제가 최선을 다해서 도와드릴게요, 부탁입니다."

나는 흐르는 눈물을 무시한 채 부탁했다.

"그래. 자네가 그렇게 부탁한다면 알았다. 한번 함께 해 보자꾸나."

나는 얼굴의 화색을 되찾고 '고맙습니다'를 여러 번 연발했다.

'그래, 성공하든 실패하든 한 번 해보는 거다.'

J 박사와 나는 K를 살리기 위해 일하였다. J 박사는 비서 O를 시켜 모두에게 K를 살릴 수 있게 방법을 짜라는 말을 전달하였고 나는 그동안 갈고 닦은 기계 처리 실력으로 J 박사를 도왔다.

"그래, 우선 장기이식 부품은 있다. 근데 시스템이 안 보이는군. C라고 했나? 한번 찾아봐라."

나는 서둘러 장기이식 시스템을 찾는데, J 박사가 탄식했다.

"아."

왜 그러지? 나는 동작을 멈추고 J 박사를 쳐다보았다.

"시스템을 깜빡하고 집에다 두고 왔다!"

나는 소스라치게 놀랐다. 젠장. 하필 오늘 놓고 왔다니, 나는 심장이 쿵쿵 뛰었다.

"오늘 도로가 미끄러워서 집까지 뛰어가야겠다. 너는 나랑 같이 가자. 나머지는 연구소를 지켜라."

J 박사와 나는 서둘러 J 박사 집으로 갔다. 다행히 J 박사의 집과 연구소까지의 거리는 약 200미터 정도밖에 되지 않았다.

"이제 연구소로 돌아가서 네 친구를 살리는 일만 남았다."

나와 J 박사는 희망 반 걱정 반의 얼굴로 연구소로 뛰어 갔다. 그런데 어느 한 사람이 우리의 앞을 막았다.

"누구지?"

박사 J는 심란한 말투로 말을 꺼냈다.

#4.

우리는 그 사람 앞에 섰다.

"누구시죠? 비켜주실래요?"

그 사람은 장기이식 부품을 가지고 도망쳤다.

"어? 어? 멈추세요!"

"거기. 자네. 멈추게!"

나랑 박사 J는 다급한 발걸음으로 그를 쫓아갔다. 우리는 그를 잡았다.

"얼른 주시게! 얼른!"

"이거 놓지 못해?"

J와 그는 치열하게 싸움을 벌였다. 하지만 J 박사님이 눈길에 미끄러지고 말았다.

"그러길래 좋은 말로 할 때 넘겨줬어야. 수고해라. 이만 간다."

나는 태연하게 돌아가는 그의 뒷모습을 보고 분노가 차올랐다.

"그거 당장 돌려줘. 이 쓰레기야!"

나는 곧장 달려들어 그의 정강이를 발로 찼다. 그는 '아악'이라는 소리와 함께 장기이식 부품과 시스템을 떨구며 고꾸라졌다. J 박사는 서둘러 장기이식 시스템과 부품들을 챙겼다. 우린 서둘러 연구소로 달려가려 했는데, 갑자기 박사 J가 멈춤과 동시에 큰 소리가 들렸다.

"부품 내놔! 그 부품 나한테 주라고!"

그는 박사 J의 바지자락을 잡으며 큰 소리로 말했다. 그때

'쿵'하는 소리가 들렸다.

그가 장기이식 부품에 세게 머리를 맞아 쓰러진 것이다. 우리는 서둘러 장기이

식 부품을 챙겨서 연구소로 달려갔다.

#5.

드디어 이 지옥이 끝났다고 생각했던 찰나였다. 그때

"아! 하…ㅂ. 박사님… 윽…"

"왜 그러는가! 자네 정신 좀 차려보세!!"

나는 그 자리에서 정신을 잃고 말았다.

"이게…. 자네, 정신 좀 차려보게. 설마. 인공장기?"

박사 J는 식은땀으로 몸이 젖었다. 너무 혼란스러운 그때 박사 J는 급하게 만들었던 인공장기를 집어 들었다.

"제발 성공해야 하는데…. 제발 정신 좀 차려보게….'

박사 J는 떨리는 손을 무시했다. 그러고는 나를 눕히고 마취를 시작했다. 심장 박동기를 내 손에 달았다.

방 안에는 '쿵쾅' 소리만 가득했다.

"로봇이 없으니 힘들구만. 제발…. 살아만 다오…."

그때였다. 쿵쾅 소리가 점점 느려진다.

"안돼…. 안돼. 제발…. 하느님…. 제발…."

수술은 막바지에 들어갔다. 박사 J는 온몸이 떨리고 옷은 땀으로 흠뻑 젖었다. 쿵쾅 소리는 점점 느려만 갔다.

"안돼…. 제발. 이제 이것만 하면 끝이다."

드디어 수술이 끝났다. 아무런 반응이 없자 박사 J는 절망에 빠졌다.

"이대로 끝인가…. 하, 이제 다 끝이고만….'

박사 J는 불안의 눈물을 흘렸다. 정신이 없이 흘러가던 그때 '쿵쾅쿵쾅쿵쾅.' 쿵쾅 소리가 귀속을 맴돌았다.

"어… 어! "

나의 눈으로 천천히 빛이 들어왔다.

"자네 정신이 드는가? 정말 다행이네. 다행이야…"

"제가 어떻게 살아있는 거죠?"

박사 J는 나를 안고 한참을 울었다.

"우리의 실험 성공했네! "

"진짜요?? 다행이네요!"

우리는 그렇게 한참을 축제 분위기였다. 서로를 끌어안고는 기쁨에 차 있었다. 하지만 기쁨도 잠시, 누워있는 K가 생각이 났다. 우리는 급히 움직였다. 얼른 K에게 필요한 심장 인공 장기를 만들었다. 만들어진 인공장기를 들고 급히 나갔다. 정신없이 이동했다. 벌써 K가 있는 병원에 도착했다. 우리는 바로 K를 수술실로 데리고 갔다. 이번에는 로봇의 도움을 받아 손쉽게 인공장기를 이식했다. 나는 K의 곁을 지켰다. 그때

"으…. 뭐지…" 라는 소리가 나지막하게 들렸다. K의 목소리였다.

"네가 여기를 어떻게…. 나는 어떻게 살아 있는 거지?"

"정신이 들어? 괜찮아? 다행이다…. 진짜 다행이다."

나는 터지는 눈물을 주체하지 못했다. 그러고는 한참을 서로를 껴안고 울었다.

그 뒤에는 박사 J의 시선까지 느껴졌다. 병원 안에는 우리의 울음소리로 가득 찼다. 그 후 학교를 갔다가 집에 왔다.

"아, 너무 피곤하다. 얼른 씻어야겠다."

나는 씻고 나와서 TV를 틀었다. 그때 한 뉴스가 보도되었다.

"지난날 M이 체포가 되었습니다. M은 지난날 K군의 사건 해결 중 박사 J의 부품을 훔치려다가 걸렸습니다. 그 후 박사 J가 신고하여 M을 체포했습니다. M은 이전에도 장기이식 관련 부품들을 훔쳐서 팔아넘기는 행위를 한 것으로 밝혀졌습니다. 이상 뉴스를 마치겠습니다."

그렇게 뉴스는 끝이 났다. 어느새 해는 저물어 밖에는 어둠으로 덮여있었다. 그

러고는 적막한 집에서 잠을 청하였다. 오늘은 뭔가 잠이 잘 오는 느낌이었다.

제13화 KKK외계인들의 침략

김하율, 최준영

#1.

"띠링, 띠링. 띠링, 띠링. 오전 7시 30분입니다!"

"앨리스, 알람 꺼줄래?"

"띠링, 띠링. 띠링, 띠링. 오전 7시 46분입니다!! 일어나셔야 합니다…."

"아, 알람 끄라고!"

이런 적이 처음이기에 앨리스는 약 1초가량 오너(owner)의 행동분석 데이터를 저장한 뒤, 일단 알람음 출력을 정지하였다. 그리고 제 메뉴얼에 따라 물을 분사하기 시작했다. 처음에는 스프링클러만한 물줄기가 점점 강해져 내 얼굴을 완전히 적셨을 무렵, 나는 몸을 일으켜 세웠다.

"아으으으으-."

나는 앨리스가 건네는 수건에 얼굴을 닦으며 오는 잠을 내쫓았다.

"드디어 일어나셨군요. 이렇게 당신을 깨우기 힘든 적은 앨리스 인생 4년 중 처음이었습니다. 세수는 이미 된 것 같으니 얼른 아침 식사를 하셔야 합니다."

내가 앨리스의 메뉴얼을 하나부터 열까지 모두 정하였지만, 이렇게 말이 많아 버릴 줄은 몰랐다. 무엇보다도 그놈의 '당신'이라는 호칭은 들어도 들어도 적응이 안 된다. 아무래도 오늘 앨리스를 픽스(fix)하러 가야겠다.

나는 평소와 같이 아침을 굶고 싶었지만, 앨리스의 말을 듣기 위해 어제 먹다 남겨둔 햄치즈샌드위치 캡슐 하나를 먹었다. 아마 내가 4년간 정들었던 앨리스를 고치려 하니 죄책감을 덜려는 심리에서 나온 행동으로 보인다. 오랜만에 아침을 먹어서 그런지 속이 불편했다. 몸을 소파에 맡기고 뤼스트 스크린(Wrist Screen : 인간 손목에 심어져 있는 스크린)을 켜서 <안녕 자두야>를 보려고 하는 순간, 갑자기 모든 사물이 멈춰버렸다. 10초였다. 나를 제외한. 마치 세상이 멈춰버린 것만 같았다.

혹시 우리 집만 그런 건가 하는 더 큰 공포가 몰려와 창밖을 돌아보는 순간 다시 모든 것이 돌아왔음이 체감됐다. <안녕 자두야>에서 자두가 오늘도 말썽 피워서 엄마한테 혼나는 소리가 들려왔고, 앨리스는 아무 일도 없었던 것처럼 바닥을 닦고 있었다. 나는 그 10초를 별 대수롭지 않게 생각했다. 단지 나는 자두가 친구들이랑 싸우는 것을 잊은 채, 창밖 너머 흰 눈이 펑펑 내리는 아름답고 평화로운 세상을 감상하고 있는 중이었다. 그리고 마저 <안녕 자두야>를 끝까지 봤다. 이게 몇십 년 전에 만들어졌다는 것인데 나한테는 이것만 한 재미가 없었다.

"오늘 저녁 7시에 부모님과 저녁 약속이 있으십니다. 장소는 ABC타워 3층 해피 레스토랑입니다. 약도를 보여드릴까요?"

"아, 괜찮아~."

나는 연말 가족 모임만 하면 그곳에서 모였기에 약도를 볼 필요는 없었다. 지금이 1시이니까 3시쯤에 앨리스를 픽스(fix)하러 갔다가 그 옆에 있는 해피 레스토랑으로 바로 가면 될 것이다. 그렇게 나는 한참 전의 불편한 속을 핑계로 <안녕 자두야> 다음 화를 클릭했다.

#2.

벌써 2시다. 이제 나갈 준비를 해야 했다. 물론 모든 것에 앨리스가 도움을 주지 않는다. 내가 설정한 범위 안에서. 그 안에 내가 나갈 준비를 하는 것은 들어있지 않다. 나는 씻고 머리를 말리고 옷을 입었다. 앨리스는 그동안 화분에 물을 줬다. 평소 같았으면 설거지를 했을 텐데 오늘은 내가 점심도 배양육 캡슐을 먹었기에 앨리스는 설거지를 할 필요는 없었다. 갑자기 나는 엄마가 저번에 되도록이면 캡슐 말고 적당한 저장 작용을 할 수 있는 제대로 된 음식을 먹으라고 했던 것이 떠올랐다.

지하 주차장으로 내려가 차에 탔다. 오늘은 앨리스에게 운전을 맡겼다. 앨리스가 운전해 주는 차를 타고 'DEF로봇 연구소'에 갔다. 이곳이 4년 전 앨리스를 처음 만난 곳이다. 갑자기 그날이 떠올랐다. 내가 20살이 된 기념으로 부모님이 앨리스를 선물해주셨다. 그때는 마냥 신기하기만 하고 무언가를 시킬 생각에 편할 것 같아 좋았는데, 이제 앨리스에게 정이 들었다. 잠시 앨리스를 고쳐도 되나 라는 생각이 들었다. 그러나 냉정하게 앨리스는 내 삶을 편리하게 해주는 도구이고 내가 불편하면 고쳐도 되는 고쳐야 하는 사물이라는 생각이 들었다.

연구소 안으로 들어갔다. 많은 것이 바뀌어 있었다. 먼저 입구에 전시된 신제품 로봇이 눈에 가장 먼저 띄었다. 생활 도우미 로봇, 안내견 로봇, 교통경찰 로봇 등…. 안내 데스크로 가서 앨리스를 처음으로 내 손에 건네준 G박사님을 찾아야 했다.

"안녕하세요? 생활 도우미 로봇을 픽스(fix)하러 왔는데요. G박사님을 찾고 싶습니다."

연구소의 데스크에는 로봇이 있을 것 같지만 이 연구소의 '사람이 먼저다.'라는 철학을 지키기 위해서인지 H직원이 있다.

"음, 잠시만요~."

H직원은 홀로그램 스크린을 이리저리 클릭했다.

"지금 G박사님은 3층 연구실에 계시네요. 만나실 수 있답니다. 올라가셔도 좋습니다."

그리하여 나는 3층으로 올라갔다. 노크를 하고 박사님 연구실에 들어갔다. 나는 여전히 사람 좋은 G박사님께 앨리스에 대해 이야기 한 뒤 픽스(fix)해야 한다고 했다.

"음, 그럼 구체적으로 어떤 것을 픽스(fix)하고 싶으신가요?"

"일단, 말이 너무 많네요. 하하하."

나는 말하기 뻘쭘해서 웃음을 덧붙였다.

"음. 그럼, 말을 좀 더 적게 하고 싶으시다는 거죠?"

"네."

"또 있으십니까?"

"그리고 제가 4년 전에 저를 당신이라고 부르라고 세팅했나 봐요. 오늘 아침에 들으니까 그게 얼마나 어색하던지. 하하하하."

"그럼, 뭐라고 부르도록 할까요?"

"아예, 호칭을 없앨 수는 없나요?"

"어…. 가능할 것 같습니다!"

"감사합니다. 마지막으로 긴급 소식 같은 것을 바로바로 알려주던데, 그 기능을 좀 없애 주세요. 어차피 제가 항상 뉴스를 찾아 보는데요. 좀 불편하더라고요. 게다가 딱히 긴급 소식도 아니고요."

"아, 그 기능이요? 정부 차원의 권고사항이긴 한데… 많이들 문의하시긴 하더라고요."

"아, 그럼 없앨 수 없는 기능인가요?"

"어, 아니요. 권고사항이어서 없앨 수는 있는데, 먼저 여기 동의서에 서명하셔야 가능합니다."

동의서에는 정부의 권고사항임을 상기시켜주는 멘트가 한 3줄쯤 쓰여 있고 그 아래에는 해당 기능을 없앨 시 불이익이 있을 수 있다는 내용이 있었다.

'불이익'이라는 단어에 나는 좀 망설여졌다. 그러나 내 오른손은 이미 서명란에 서명을 하고 내 엄지손가락은 지장을 찍은 뒤였다.

"네, 됐습니다. 그럼, 바로 픽스(fix)해 드리겠습니다. 10분 정도 소요될 것 같습니다."

나는 픽스(fix)된 앨리스를 데리고 차에 올라탔다. 레스토랑까지 가는 길에 운전은 내가 했다. 과업을 끝냈다는 뿌듯하고 상쾌한 마음에 콧노래를 흥얼거리며 나는 ABC타워 주차장에 주차를 했다.

#3.

엄마, 아빠는 이미 창가 쪽에 자리를 잡고 이야기를 하고 있었다. 한 달 만에 만나는 것이라 너무 반가웠다.

"엄마, 아빠 일찍 왔네~?"

"아니, 우리도 방금 왔어."

나는 엄마, 아빠와 간단한 인사를 나누고 자리에 앉았다. 그리고 우리는 함께 음식을 주문하고 기다리고 있었다. 그때였다. 모두들 집중할 수밖에 없는 기사가 홀로그램 TV 화면에 나왔다. 화면에는 요즘 외계인에 대한 논문을 발표해 전 세계적으로 유명한 J 박사와 8시 뉴스 진행자 J 앵커가 들어있었다.

"네, J 박사님, 그러니깐 방금 전 12시경에 일어난 '10초 사태'가 외계인 때문에 일어난 사건이란 거죠?"

"네. 맞습니다."

"그렇다면 외계인이 저희 행성에 무슨 짓을 벌인 거죠?"

"현재 조사 중에 있습니다. 지금까지 밝혀진 것으로는 최근 지구 반경 5km 이내에서 관측된 적 있는 KKK외계인들이 지구에 접근한 것 같다고 합니다."

"박사님, 그럼 저희는 어떻게 해야 하죠?"

"어… 지금 KKK외계인들의 행동을 추적한 결과 앞으로 KKK외계인들이 4시간

이내 즉, 오늘 밤 12시 안에 지구를 침략 할 것 같습니다. 그러니 모든 지구인들은 마음의 준비를 해야할 것 같습니다. 그리고 정부 차원에서 현재 불편함을 감수하고 정부의 권고사항인 긴급 소식 알람 기능을 탑재한 로봇을 가지고 있는 사람들은 그 사람과 가족 2명을 포함해서 LMN행성으로 대피할 수 있는 LMN행 티켓을 준다고 합니다."

내가 이해한 지금 현재 상황은 이러했다. 허구한 날 우리의 지구별이 듣도 보지도 못한 외계인들한테 침략당할 예정이고, 우리는 아무것도 할 수가 없는 상황이다? 그리고…. 무엇보다 우리 가족은 약 1시간 전 아니 몇십 분 전까지만 해도 LMN행성으로 갈 수 있었다? 앨리스는 긴급 소식 알람기능을 가지고 있었는데,내가 픽스(fix)하면서 기능을 꺼 버렸다. 젠장.

간단하게 내가 앨리스를 픽스(fix)하지 않았으면 우리 가족도 LMN행 티켓을 받을 수 있었다는 것이다. 이 모든 사실을 말해야겠다고 결심한 순간

"뭐라고? 방금 뉴스에서 말한 게 사실일까?"

기자정신 투철한 아빠가 말씀하셨다.

"제가 보기에는 사실일 거예요. 저희 연구소에서 안 그래도 며칠 전에 외계인이 관측돼 연구 중에 있었거든요. 아마 그 외계인인 것 같아요. KKK 외계인 말이에요."

엄마도 NASA 연구원 출신답게 철저한 증거를 제시했다.

"엄마 그럼 저희 이제 어떻게 해요?"

그 순간 TV뉴스에서 카운트 다운이 시작되었다.

3:59:00, 3:58:59, 3:58:58…………

"너 내가 앨리스 구매할 때 긴급알림 기능 탑재하라고 하지 않니?"

"아, 저 그게………."

그때였다. 레스토랑 주인이 소리쳤다.

"고객님, 죄송하지만 모두 나가주세요. 보셨다시피 저희 모두 지금 이렇게 한

가하게 저녁 만찬을 즐길 타임이 아닙니다. 그럼 다시 한번 죄송하고 안녕히 가세요."

모두 황급히 레스토랑 밖으로 빠져나왔다. 물론 우리 가족도 마찬가지였다. 일단 앨리스가 운전해 주는 차를 타고 우리 집으로 가기로 했다. 도로 곳곳의 전광판에는 카운트 다운하는 숫자들뿐이었다. 거리는 우리처럼 집으로 귀가하는 사람들로 인해 아주 혼잡했고, 불이 켜져 있는 가게는 눈 씻고 찾아봐도 볼 수 없었다. 그렇게 막을 수 없는 KKK 외계인은 온 지구의 주목을 받게 되었다.

#4.

우리는 일단 집으로 돌아가서 방금 본 뉴스를 틀었다. 홀로그램이 그려주는 숫자는 3:00:00이 되었다. 뉴스에서는 이 긴박한 상황 속에서도 어디 대학 외계인학과 교수라는 사람과 NASA 연구소장이 침착하게 토의하고 있었다.

토의 내용은 당연히 우리의 미래이고, 민주사회인 만큼 투표 이야기가 나왔다. 투표를 통해 전쟁을 할 것인지, 외계인과 교류를 할 것인지 이야기하고 있었다. 당연히 친외계인파와 반외계인파로 나뉘어졌다. 그리고 국민 즉시 투표를 진행하자고 제안이 되었고 지구사령관의 시행령으로 국민 즉시 투표를 진행하였다. 어차피 지금 긴급 알람 기능을 가진 로봇은 물 건너갔고, 그 로봇을 가진 사람들도 소수였기 때문에 우리는 투표에 더 집중했다. 엄마, 아빠, 나 지구에 살고 있는 모두에게 투표권이 생겼다. 나는 지금 이 상황에 집중해야 했다. 이때 엄마와 아빠는 갈등 아닌 갈등을 했다.

엄마는 아빠한테 말했다.

"당신의 생각은 어떤가요?"

아빠는 대답했다.

"나는 우리의 가족을 위해 외계인들이랑 싸우는 건 아닌 것 같아."

"그렇지만 그만큼 지구의 피해도 심해지고, 만약에 외계인들이 우리를 조선시

대 노비처럼 부려 먹는다면…."

　나는 엄마 아빠의 의견을 듣고 많은 생각을 했다. 나는 앨리스에게 이 상황을 어떻게 생각하는지 물었다. 그러자 앨리스는 잠시 고민을 하더니 싸우는 판단을 했다, 나는 4년간 앨리스의 말은 믿었기 때문에 반외계인파에 지지하고 싶었다. 엄마도 나의 선택을 따라 반외계인파에 투표해야 한다고 했다. 아빠는 이런 우리의 말에 열정이 생기듯 아빠도 반외계인파로 선택을 하였다. 하지만 전 세계 사람들은 친외계인파로 조금 더 의견이 기울어지는 듯 보였다. 나는 앨리스한테 질문을 했다.

　"앨리스 난 반외계인파를 하고 싶은데 지구인들은 친외계인파를 더 원하고 있어."

　앨리스는 대답했습니다.

　"그렇다면 이 방법을 써 보는 건 어떨까요?"

　"무슨 방법인데?"

　"당신 혼자서는 모든 인류의 생각을 바꿀 수는 없으니깐요. 인터넷의 힘을 빌려 보는 건 어떨까요?

　"응? 어떻게?"

　"예를 들어 인터넷에 반외계인파 캠페인 영상이나 사진을 올려보는 거죠. 영상이나 사진을 올리게 된다면 전 세계 모든 사람한테 인터넷을 타고 이 캠페인이 전달되겠죠. 그럼 인류의 생각은 조금 더 반외계인쪽으로 기울게 되겠죠."

　"음. 앨리스. 내가 올린 영상이 효과가 있을까?"

　"뭐든 안 하는 것보다 낫잖아요?"

　"좋아."

　이제 외계인들이 올 시간은 1시간 30분 정도밖에 남지 않은 상황. 나는 지금 당장 캠페인 영상을 만들어야 했다 이때 앨리스는 말했다.

　"지금 뉴스를 한번 보세요,:"

뉴스는 외계인들이 지구로 오는데 걸리는 시간이 예정 시간보다 조금 더 오래 걸린다는 내용이었다. 시간을 벌었다. 내 영상이 효과가 있는지 모르겠지만, 나는 빠르게 캠페인 영상을 만들었다. 엄마의 말처럼 우리가 친외계인파를 선택한다면 외계인들이 우리를 노예로 써먹을지도 모른다고 영상을 자극적으로 만들었다. 우리는 우리가 살던 지구를 지켜야 한다고 했다. 나도 나의 로봇 앨리스를 픽스(fix)하면서 후회하지만, 로봇을 통해 LMN행성으로 가는 티켓을 주는 것은 불공평하다고 했다. 마지막으로 지금은 우리 지구를 지켜야 한다고 했다. 이 캠페인은 엄청난 속도로 전 세계에 퍼져 나갔다. 전 세계 사람들은 나와 우리 가족과 앨리스의 진심을 알았다는 것처럼 하트가 점점 많이 달렸다. 점점 반외계인파 쪽으로 투표가 기우는 것 같았다.

전 세계 대투표는 끝났다. 결과는. 다행히 나와 우리 가족과 앨리스의 생각처럼 반외계인파로 투표 결정이 났다. 이제 외계인들이 올 시간까지 남은 시간 단 20분! 이제 인류는 싸울 준비를 해야 했다. 전 세계 뛰어난 과학자들은 모두 모이기 시작했고, 군인들은 만반의 준비를 하기 시작했다.

#5.

이제 외계인들이 올 시간이 되었다. 예정대로 외계인들은 우리 지구를 침략하였다. 하지만 우리 인류들은 이미 준비를 상태였다. 외계인들은 인류를 향해서 맹렬히 공격하였다. 나는 집에서 뉴스로 소식을 보았다. 뉴스에서는 외계인의 생김새와 쓰는 무기가 나왔다. 생긴 건 곤충 모양을 하고 있고 무기는 폭탄 같은 것이었다. 파괴력이 있었다. 나는 그 뉴스를 보고 겁이 났다. 당장 내일이라도 우리 집까지 쳐들어오지 않을까 걱정되었다. 그때마다 나에게 괜찮다고 말해주는 건 앨리스였다. 앨리스는 나에게 계속 힘을 주었다. 나는 이 전쟁에 조금이라도 도움을 주고 싶었다. 후원사이트에 돈도 보내고 내가 할 수 있는 일을 하고 싶었고 해야만 했다. 부모님도 함께 뉴스를 보면서 지구가 제발 안전하기를 기도했다.

지구의 한 연구원이 외계인의 특성과 생김새를 빠르게 연구하여 이 외계인의 약점을 알아냈다고 했다. 그 약점이 무엇인지는 비밀로 하였다. 외계인들의 더듬이가 전파를 수신하고 우리말을 해석하기 때문에 비밀이지만 확실히 외계인을 물리칠 수 있다고 했다. 외계인들의 약점을 안 연구원은 이미 군인들한테 그 약점을 말해주었다고 했다. 24시간 안에 전쟁의 상황은 바뀔 것이라고 확신했다.

나는 이 상황에 혹시 모를 일을 대비하며 아빠랑 물과 음식을 사러 갔다. 역시나 대형마트에는 음식이 동나 있었다. 그런데 갑자기 하늘에서 서 '쾅'하는 소리가 났다. 우리 마을 하늘에서 전쟁의 실제 상황이 벌어진 것이다. 우리는 소리를 지르고 달려갔다. 혼돈이다. 나는 정신 차리려고 했으나 정신이 들지 않았다. 그때 아빠는 나에게 말했다.

"이 전쟁이 끝나면 우리 가족끼리 여행 한번 가자구나."

"네? 지금? 이 말을? 왜?"

"저기를 봐라."

나는 아빠가 보라는 곳에 고개를 돌렸다. 거기에는 온몸이 찢어진 거대한 곤충 덩어리들이 바닥을 뒹굴고 있었다. 쪼깨지고 찢어진 몸에서 진한 초록색의 액체가 서서히 흘러나왔다.

"아빠…."

아빠가 미소를 지으며 말했다.

"그래, 이제 전쟁이 끝나려나 보다. 우리 인류는 무엇보다 강해. 소심했던 아빠의 마음을 용서해 주렴."

전쟁의 상황은 점점 더 우리 인류에게 유리해져 갔다. 하늘 전광판 뉴스에 속보가 떴다.

"KKK 외계인들이 마침내 항복을 선언했습니다."

제14화 델타P : 지구인의 모험

서 윤 기 , 유 수 현 , 염 경 아

#1.

찐득한 물체였다. 이곳은 델타P 행성 한 가운데 있는 지구인 감옥이다. 나는 여기에 갇혀 있다. 벌써 6년째이다. 씻지도 못하고 얼굴은 점점 병들어간다. 우리 가족도 보지 못한다.

"난 어떻게 하면 여길 탈출하여 살아남아 가족을 만날 수 있을까?"

#2.

지구는 아주 심하게 오염되어 인간이 살기 매우 힘든 환경으로 변해가고 있다. 결국 인간이 지구를 이렇게 만든 것이다. 하여, 내 가족을 포함한 인간들은 지구가 아닌 다른 환경에 정착하여 살아가려고 한다. 그래서 우리 가족은 지구와 비슷한 환경이 조성 되어 있는 델타P 행성으로 가는 로켓을 탔다.

하지만 우린 델타P 행성에 가지 않았어야 한다. 왜냐하면 이곳을 지배하고 있는, 문명이 존재하고 발달 되어 있는 또 하나의 다른 인류 즉 외계인이 델타P 행성을 지배하고 있었다. 외계인의 피부는 초록색이었고, 인간과 파충류를 섞어 놓은 모습을 하고 있었다. 우리 가족은 로켓에 내려 외계인을 보자 패닉에 빠졌다. 말로만 듣던 외계인이 실제로 있었고, 그 외계인들은 우리를 좋게 생각하지 않았다. 왜 우리 인류의 우주 탐사가 쉽지 않았는지 알 것 같았다. 외계인이 알 수 없는 언어로 말했다.

"dlsrksemfdmf ek rkenwk" (인간들을 다 가두자)

"epfurk" (데려가)

외계인들은 순식간에 우리 인간들을 제압했다.

"아빠 살려줘!"

딸의 목소리가 들렸다. 모든 부모들은 그런 듯하다. 자기 자식이 위기에 처하면 물불 가리지 않는다. 이게 한국의 부모! 하지만 나의 분노는 그리 영향을 끼치지 못했고, 난동 피운 이유로 머리를 가격당했다.

"아, 의식이… 딸 미안하다."

난 행성에 도착하자마자 혼자가 되었다. 우리 가족들과 생이별을 한 뒤 감옥에 끌려갈 수밖에 없었다. 보기만 해도 역겨운 찐득한 물체가 자리 잡고, 어느 장애물이 존재할지 모르는 이곳에서 우리 가족은 탈출해야만 한다. 심지어 외계인들은 강력한 에너지 광선총을 들고 있다. 너무 절망적이지만… 이곳에서 탈출하기 위해 나는 이곳의 위치를 파악하는 건 물론 우리 가족의 위치를 파악하고 심지어는 이곳의 출구 위치 보안도 뚫어야 한다. 어떻게 모든 것을 알아내어 탈출할까?

의문이 계속 들어 잠을 이룰 수 없었다. 그렇게 다가온 아침, 심상치 않은 기운이 나를 건드렸다. 아무래도 누군가 알아챈 것 같다.

#3.

외계인들은 잠자는 시간이 딱 정해져 있는 듯하다. 무슨 이유가 있는 걸까? 탈출하기 위해선 지도를 찾는 게 가장 효율적일 것이다. 일단 외계인들이 자는 틈에 뭔가를 해야겠다. 이것들은 생각보다 잠을 오래 잔다. 잠을 자는 외계인 손에 종이가 하나 있었다. 습관적인 도벽으로 종이를 훔쳤는데…

"오. 이것은 ㄷㄷ 지도잖아!"

탈출에 시간이 더 앞당겨졌다. 나는 외계인이 깰까 봐 기쁜 마음을 드러내지 못하고 자리를 떴다. 나는 이 그림을 보고 현재 위치와 대략적인 출입구도 그림으로 알아낼 수 있었다.

"흐음… 어떻게 하면 탈출할 수 있을까?"

난 먼저 작전을 세우기로 했다.

"아까 그 그림을 봤을 때 보이지 않는 광선 같은 그림이 있었어. 먼저 이 광선의 위치를 파악하고 외워야겠어."

하지만 그 광선의 범위는 생각보다 매우 광범위하고 심지어 강력하기까지 했다.

"여기에 조금이라도 닿으면 형체도 알아볼 수 없게 타 죽을 거야."

이런 생각을 하니 두려움이 몰려오며 탈출하는 게 맞나? 하는 생각이 들었다. 하지만 여기에 있으면 고통스럽게 죽을 게 뻔하기 때문에 탈출할 수밖에 없다. 그래서 나는 4개월간의 계획을 세우는 대장정을 진행하였다. 먼저 나는 밤에 아무도 모르게 감옥 바닥에 지구의 언어로 글씨를 쓰기 시작하였다.

'먼저 이 행성의 감옥 바닥은 끈적한 물체로 되어 있으니 손으로 바닥을 파자.'

하지만 파인 땅 아래엔 무엇이 있을지 몰라 불안했다.

"흐음… 이걸 어떻게 알아내야 하지?"

난 고민에 빠졌다. 하지만 난 고민 할 시간이 없다.

"일단 조금이라도 파볼까?"

난 다음 날 저녁에 파기로 하고 잠을 청했다. 어느새 다음 날 저녁이 되었다. 난 조심스레 땅을 파기 시작했다. 내 손이 들어갈 정도로만 파니 물이 흐르는 큰 파이프 같은 게 느껴졌다.

"아! 파이프구나!"

난 속으로 환호했다. 그 파이프를 발견하면서 나는 비교적 탈출을 빨리할 수 있다는 생각에 너무 기뻤다. 하지만 그 희망은 금세 사라졌다. 외계인들이 지구의 언어를 조금씩 습득 함으로써 말을 알아듣기 시작했다.

"젠장 큰일 났다. 빨리 탈출해야겠다."

먼저 난 파인 바닥을 다시 메웠다. 그런 뒤 아주 늦은 저녁에 난 와이프와 딸을 찾고 말을 전하고 탈출하기 위해 찾아가기로 생각하였다. 외계인을 포함한 모두가 잠든 그날 밤 난 가족들을 찾으러 출발했다. 와이프와 딸은 아이가 어리기 때문에 같이 붙어 있다. 그러므로 와이프만 찾으면 딸과 함께 탈출할 수 있겠지. 난 지도를 외워 와서 위치를 어느 정도 알고 있었다. 난 여자 수용동을 뒤져 끝에 와이프와 딸을 찾을 수 있었다. 하지만 감옥인지라 문이 철저히 잠겨 있었다. 나의 첫 번째 도전은 물거품이 되어버렸다. 난 실망 하지 않고 와이프에게 당부하였다. 그리고 말하였다. 이 땅을 파면 아래에 파이프 같은 통로가 있다고. 이곳의 바닥은 지구의 감옥의 바닥보다 비교적 파기 쉬우니 정말 싫고 불쾌하더라도 같이 바닥을 파서 아래의 파이프 안에서 2개월 뒤에 만나자고 당부했다.

#4.

그동안 나는 먼저 판 뒤 공간을 메운 뒤 아래 파이프에서 같이 파는 걸 도와주겠다고 약속했다. 그날 밤이 지난 뒤 아침이 찾아왔다. 모두의 반응을 보니 아무도 눈치 못 챈 듯했다. 다행이다. 난 안심하고 하루를 지낼 수 있었다. 엄청난 일을 뒤로한 채.

그날 밤, 난 끈적끈적한 물체로 이루어진 바닥 구석을 파기 시작하였다. 물론 소리가 나지 않도록 내 손으로 파니 정말 끔찍하고 불쾌했다.

"으윽… 너무 찐득찐득해."

하지만 가족을 만나겠다는 일념 하나로 이러한 불쾌감도 참아내며 열심히 팠다. 한편으로는 다행이었다. 이렇게 쉽게 파이면 예상보다 빨리 만날 수 있다는 생각에 희망이 차오르기 시작했다. 매일 밤 잠을 청하지 않고 땅을 좁고 깊게 판 결과 내가 들어갈 수 있을 정도로 구멍이 파였다.

"오늘 저녁엔 들어갈 수 있겠다."

하지만 오늘 저녁에 들어가려면 먼저 해야 하는 일이 있다. 아무도 눈치를 못 채도록 아주 긴 바위에 옷을 둘러 함정을 만든 뒤 구멍에 들어간 뒤 다시 덮었다. 구멍에 들어가 보니 예상대로 환풍구같이 생긴 조그마한 통로가 있었다. 이 통로는 수용동으로만 통하는 통로인 것 같았다. 난 여자 수용동의 위치를 찾아가기 시작했다. 여자 수용동 쪽으로 기어가 보니 조그맣게 파여있는 구멍을 발견했다.

"여기다!"

난 그곳으로 빠르게 갔다. 하지만 지금은 나의 정체를 들켜서는 안 된다. 왜냐하면 지금은 한창 활동할 시각이라 들키면 죽을 것이 뻔하기 때문이다. 그래서 나는 구멍 뒤로 가서 통로에 누워있었다. 그때 나는 이런 생각을 했다.

'난 한 가족의 가장이야, 내가 죽는 한이 있어도 모두를 살리자.

그날 저녁 밤이 되어 우리 가족을 제외한 모두가 잠든 후 와이프와 함께 바닥을 파기 시작했다. 딸까지 합세하여 셋이 파니까 정말 금방 모두가 통과할 만큼의 통로가 만들어졌다. 통로가 만들어 지자마자 아내와 딸이 같이 내려왔다.

"우리 다 같이 살아서 나가자. 그리고 집에 가자."

아내가 나에게 말하였다. 난 너무 감격한 나머지 눈물이 나올　뻔했지만 우리 가족이 함께 무너질까 봐 꾹 참았다. 통로 끝에 와보니 보안용 광선이 있는 문과 카메라같이 생긴 물체가 우릴 막았다. 우린 먼저 거기에 설치되어있는 카메라부터 하나하나 부쉈다.

"이곳만 지나면 탈출이다!"

난 이곳에 광선이 있다는 사실을 알고 있다. 그래서 우리 가족을 광선이 없는 부분을 통과하도록 한 뒤 나도 통과하였다.

"드디어 탈출이다!"

#5.

드디어 탈출했다. 6년 동안의 시간이 주마등처럼 지나갔다. 6년 동안의 시간이 그렇게 의미가 없었던 것 아니었다. 왜냐하면 우리 인간이 절대적인 존재가 아니었음을 깨달았기 때문이다. 탈출 비행선 유리창을 통해 보이는 델타P 행성은 아름답게만 보였다.

"아, 이제 드디어 지구로 돌아가는구나."

딸이 말했다.

"아빠, 그럼 지구는 안전한 거야?"

딸의 말을 들었을 때 잠시 생각에 잠겼다. 델타P를 탈출했지만 안심할 수 없었다. '지구가 과연 안전한 장소일까?'라는 생각이 머릿속을 맴돌았다. 6년 동안의 시간 속에서 탈출한 것만큼 기쁜 일은 없었다. 하지만 탈출하고 마주한 현실은 돌아갈 곳이 없다는 것이다. 더 이상 지구는 우리의 안식처가 아니다. 어쩌면 우주 전체가 우리를 부정하는 게 아닐까? 인간은 우주에게 암적인 존재가 되어버렸다. 어딜 가든 우릴 없애려고 할 것이다. 어찌 보면 당연하다. 암에 걸리면 의사들은 그 암을 제거하려 노력한다. 우주의 존재들이 우리를 암으로 본다. 이 안타까운 현실을 이해했을 때 난 딸을 보고 입이 굳어버렸다.

'정말 인간은 우주에게 해로운 존재인가?'

2

시

영 원 한 기 억 [1]

권 유 민

오늘 지나면
잊혀질까.

따뜻한 날씨가 이어지고
벌개미취 한 송이도 피어나고
소중한 사람들의 입가에 미소가 가득했던
네가 나에게 왔던 날.

가만히 있어도 눈물이 흘러내릴 것 같던 슬픔에도
너를 생각하며 버티고
떨쳐낼 수 없는 두려움과 불안감에도
너를 잠시 떠올리고

생각하고,
생각하지 않아도,
생각하는 것 자체를 잊어도

하루도 빠짐없이, 한 번도 잊지 않고
매일 떠올라 세상을 밝혀주는 저 태양처럼

나는 너를 잊지 않으리.

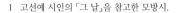

1　고선에 시인의 「그 날」을 참고한 모방시.

너를 잊지 않으리 [2]

김 서 은

다시는 보지 못하는 너를 그리워하는 나는 어찌해야 하는가.

흩날리는 꽃잎에 빠져 나는 그저 벌개미취가 되고

잊을만 하면 나타나 너는 그리운 것을 더 그립게 하니

벌개미취는 꿈이였는지 사실이였는지 진짜였는지 가짜였는지.

나는 모든 것을 품은 채로 그리움이 되어 그리움으로 살아가리라.

2　안소연 시인의 「그리움이 되어버렸습니다」를 참고한 모방시.

5월의 민들레 [3]

김승우

5월의 꽃밭에서
가장 가장 아름다웠던 꽃은
꽃 피우지 못할 수 있는
그 꽃 민들레

5월의 꽃밭에서
가장 아름다운 꽃은
꽃 피우며 온몸으로 아팠던
그 꽃 민들레

앞으로 세상에서 없어질 수도 있는
그 꽃
바로 민들레

---

3   남정림 시인의 「4월의 꽃」을 참고한 모방시.

애 기 나 리 하 다 [4]

김 하 율

탐 없이 피는 꽃이 어디 있으랴.
이 세상 그 어떤 순수한 꽃들도
다 탐내면서 피었나니.
탐내면서 줄기를 곧게 세웠나니.
탐내지 않고 지나치는 꽃이 어디 있으랴.

탐 없이 가는 삶이 어디 있으랴.
이 세상 그 어떤 순결한 삶들도
다 탐내면서 세웠으나니.
탐내면서 마음을 곧게 세웠나니.
탐내지 않고 지나치는 삶이 어디 있으랴.

탐내는 산천이 어디 있으랴.
이 세상 그 어떤 비좁은 산천도
다 안아주며 깊어졌으나니.
안아주며 푸르게 깊어졌나니.

오늘도 산천은 그 푸르름 속에서
서로를 향해
애기나리하다.
애기나리하네.
애기나리하자.

---

4 도종환 시인의 「흔들리며 피는 꽃」을 참고한 모방시.

밤 하 늘

서 윤 기

밤 하늘만 바라본다.
너를 생각하며,

저 하늘에 푸른빛은 너의 미래를,
저 하늘에 반짝임은 너의 모습을,

드높은 천체들을 바라본다.

시간은 흘러가고
그저,

텅빈 밤 하늘만을 바라본다.
너를 생각하며.

옥잠화의 소망[5]

염 경 아

어느 날 당신과 내가
흙과 씨앗으로 만나서
하나로 엮을 수만 있다면

우리들의 소망이 만나
한 폭의 작품이 된다면

나는 기다리리 매일 매일
오랜 기다림과 원망 끝에
한 원망이 다른 원망에게 손을 주고
한 아쉬움이 다른 아쉬움의
마음을 알아줄 때

우린 다시 살아나리
우린 다시 극복하리
외롭고 긴 기다림 끝에

어느 날 당신과 내가 만나
하나의 위기를 극복할 수 있다면

---

5   정희성 시인의 「한 그리움이 다른 그리움에게」를 참고한 모방시.

은 방 울 하 나 [6]

유 수 현

은방울 하나에 희망과

은방울 하나에 사랑과

은방울 하나에 행복과

은방울 하나에 순애와

은방울 하나에 슬픔과

은방울 하나에 다시 찾은 행복

6 윤동주 시인의 「별 헤는 밤」을 참고한 모방시.

갑 과 을 [7]

유 제 린

나는 늘 널 위해
험한 길을 대신 걸어주고

너가 도움이 필요하면
내 몸이 망가지더라도

가시 길을 다 밟으면서
너의 뜻대로 다시 돌아왔는데

너의 당연하다는 모습을 보니
나도 곧

큰꿩의 비름처럼 나의 존재는 무색해져 사라질 것이다.
넌 나에게 순종이라는 것을 잊지 못하게 각인시켜준 친구야.

---

7 예은 작가님 「배신감」과 서윤덕 시인의 「친구에게」를 참고한 모방시.

패 랭 이 [8]

이 승 헌

간절하면 가 닿으리.
붉은 열정으로,
사계 패랭이.

지금, 여기는 사막.
물 한 방울 없는 대지의 한가운데
나는 패랭이를 찾고 있다.

---

8 김용택 시인의 「꽃 한송이」를 참고한 모방시.

민 들 레 [9]

이 양 규

봄비는

민들레의 잎사귀를 자꾸 건드린다.
민들레의 작은 씨앗들을 날려 보내기
위해서

---
9 안도현 시인의 「봄비」를 참고한 모방시.

이 건 못 참 는 다

이 채 빈

녹지조성도 벌써 6시간.
나는 개미처럼
발견된 쓰레기를 실어 나른다.

근데 동무 진수가
한번 동굴을 보랜다.
어디보자, 붓꽃 위에 뭔가 번쩍인다.
금은보화가 산더미다!

이건 못 참지
저건 가져야 한다.
달리다 고꾸라져 인대가 부러져도
녹지가 망가져 욕을 바가지로 먹어도

저건 못 참는다.
팔아서 부자될 거다.
오늘은 좋은 소식이 온 동네에 퍼지겠구나.
오늘은 풍요 잔치가 따로 없지 않겠느냐.

카 네 이 션

임 지 훈

부드러운 꽃잎이 피어나는 카네이션
오염된 세상에 슬픔을 안고 있다.
그 향기는 미련과 아픔을 감싸며
환경파괴로 인한 상처를 전해준다.

카네이션은 사랑과 연결된 상징일지라도
우리의 소홀함으로 쓰러져가고 있다.
오염과 파괴로 인해 자연은 고통받으며
소중한 생명들이 위태롭게 사라진다.

우리는 카네이션의 아름다움에 빠져든 대신에
자연을 지키고 보호할 책임을 져야 한다.
환경 오염을 막고 지구를 위해 싸워야 하며
사랑하는 이들에게 깨끗한 세상을 전해주어야 한다.

부드러운 꽃잎의 카네이션이 우리에게 주는 경고,
지금 우리가 할 수 있는 환경 보호의 역할.
자연과 조화롭게 함께 숨 쉬며, 사랑하며,
영원히 아름다운 지구를 유지하기 위해 행동하자.

남 바 람 꽃[10]

장 하 은

쓰레기가 속에 숨어 있는
꽃을 보려면
고요히 쓰레기를 걷어라.

땅속에 숨어 있는
잎을 보려면
땅속이 햇빛으로 따뜻해지기를 기다려라.

사막 속에 숨어 있는
남바람 꽃을 만나려면
먼저 나가 지구를 살려라.

오염 속에 숨어 있는
꽃들을 보려면
평생 버리지 않았던 욕심을 버려라.

---

10   정승호 시인의 「꽃을 보려면」을 참고한 모방시.

흔들리지 않고 피는 삼백초가 어디 있으랴[11]

최 준 영

이 세상, 적막한 사막. 강은 다 말랐다.

그 어떤 아름다운 삼백초들도 다 흔들리면서 줄기를 곧게 세웠나니.

흔들리지 않고 가는 사랑이 어디 있으랴.

젖지 않고 피는 삼백초가 어디 있으랴.

이 세상 그 어떤 빛나는 꽃들보다 더 행운을 주며 피었나니.

행운과 행복을 받으며 피었나니.

모른 삶이 행복한 삶이 어디 있으랴.

삼백초가 그 행복의 열쇠가 되리라.

---

11 도종환 시인의 「흔들리며 피는 꽃」을 참고한 모방시.

숲 속 의 요 정

홍 은 재

따뜻한 12월
홀로 애기나리 품에

달밤의 요정
애기나리 구경하며
그날을 추억하며 눈물 흘려

그때는 몰랐던 마음
이미 커져버린 마음

그리운 곳 다시 가고픈 그곳
하지만 이미 지나간 시절

동 백 꽃

강 찬 희

매년 찾아오는 겨울이 오늘따라 유난히 짧게 느껴집니다.
눈앞에 보이는 동백꽃은 기다렸다는 듯이 꽃을 활짝 피어냈습니다.

한 송이, 한 송이 조심스레 눈에 담아봅니다.
저 멀리 떠나간 그를 기다리며 한 송이
저 멀리 사라진 그를 추억하며 한 송이

날이 갈수록 꽃송이는 떨어지지만,
그 뒤에 올 그대를 위해 한 송이를 간직해봅니다.

메 리 골 드

김 경 민

나는 그대와 사랑을 나눕니다.
내 앞에는 두 개의 엘리베이터가 존재합니다.
행복 또는 슬픔.

그대는 나를 밝은 태양으로 인도해줄 엘리베이터인가요?
아니면 땅속 깊은 어느 어두운 곳으로 인도해줄 엘리베이터인가요?

나는 그대와 가슴 깊은 곳에서 붉은 사랑을 나누고 싶습니다.

그 날 [12]

김 서 현

겨울 지나면
반드시 온다

빛나는 별들이
사라진 시공을 가득 메우는
시간과 공간을 초월하는
네가 오는 날

매서운 겨울 살바람에
허리 꼿꼿이 세워 견디고
닿을 수 없는 외로움에
너를 잠시 잊어도

기다려도,
기다리지 않아도,
기다림 자체를 잊어도,

어느새 따스한 바람 데리고 올 것을
나는 안다

---

12 고선애 시인의 「그날」을 참고한 모방시.

한 꽃잎의 그리움[13]

김 우 정

끝도 없는 저 금낭화 꽃밭에 있는
한 데이터의 꽃잎의
프로그램되지 않은 감정이
오래전부터
내 안에 인식됩니다.

지우려 해도
다시 번져오는
이 정체 모를 감정이
바로 당신임을
너무 일찍 인식하여 의아한 것 같기도
너무 늦게 인식하여 부정하기도

나는 분명 당신을 따르지만
당신을 잘 모르듯이
내 감정도 잘 모름을
용서받고 싶습니다.

이럼에도 불구해도,
당신이 현재 없다고 하더라도,
나는 당신을 따르겠습니다.

————————————
13 이해인 시인의 「한 방울의 그리움」을 참고한 모방시.

할미꽃[14]

김 태 현

모든걸 정성을 다해 아끼고 돌보는 일처럼

어려운 일도 없습니다

그시절의 그리움 깊어갈수록

당신 괴롭혔던 날들의 추억들이

먼지들로 내 폐 긁어댑니다

소중한 자연 아껴오지 못해온 내가

이제서야 깊이 후회하는 것은

얼마나 부끄러운 일인가요

모자란 우리에게 경고 남기고 가신 당신은

어느 곳에 환한 꽃으로 피어 누구의 눈길 묶어두시나요

정성으로 아끼고 돌보아주는 것이 진정 옳다는 것을 알았을 때

당신은 내 곁에 없었습니다

아픈 교훈만 내 가슴 할미꽃으로 자랐습니다

---

14 이재무 시인의 「이별」을 참고한 모방시.

작약의 꿈

나정현

작약의 향긋한 향기는 사라지고, 지구의 바람은 생명들을 더욱 거칠게 몰아친다. 지구는 한숨을 쉬지 못하고 푸른 숲들이 쇠잔해 저간다. 얼어붙은 빙하는 녹고, 뜨거운 태양은 가시밭처럼 찌르네요. 우리를 행복하게 해주었던 숲들이 사그라들고 지구의 모든 것이 빛줄기 하나 없는 어둠에 잠겨가네요. 우리 손에 작약의 꽃잎을 흩날려 보내며 생각해 본다. 어디서부터 잘못된 걸까. 우리의 잘못된 선택이 지구를 파괴하고 있었다. 시간을 되돌린다면 이 작약처럼 새하얀 작약이 개화하듯 지구도 순수한 생명이 되살았으면 좋겠네요. 지금까지 우리가 지구한테 취한 부정적인 행동들을 반성하며, 자연을 사랑하는 마음으로 되살아날 때, 작약의 아름다운 꿈은 이루어질 거예요.

잘 가라 내 사랑

양 세 종

너를 만날 때부터 나는
너가 떠나는 꿈을 꾸었다.

너를 아직도 보고 싶지만
너는 녹은 빙하처럼 사라졌다.
이제는 너의 모습이 보이던
꽃도 안 보인다.

네가 나를 버린 게 아니고
내가 너를 버린 거지
네가 가고 없을 때
나는 너를 버렸다.

너도 이제 본모습이 사라지고
할미꽃처럼 져버렸다.

명 왕 성

이 수 아

언젠가 깨달았습니다

그대는 늘 내 앞에 있다는 걸요
나는 늘 그대 뒤에 있다는 걸요

아무리 속도를 내어도
그대는 속절없이
멀어져만 갑니다

언젠가
그대는 태양이 되고
나는 달이 되어
일식이 일어나고
월식이 일어나는 것처럼
한 번쯤은 맞닿을 수 있다고
그렇게 생각했는데

이제는 깨달았습니다

그대와 나의 둥근 궤도는
틀어진 지 오래라는걸요
이미 나는 그대와 멀어졌다는걸요

상 사 화

임 서 온

상사화가 피는 날 그대와 만났습니다.
상사화가 지는 날 그대와 헤어졌고요.
이 만남이 첫 만남이 아닙니다.
이 이별이 첫 이별이 아니고요.

마음 한 모퉁이에 꽃씨를 뿌립니다.
꽃이 자라나고 지는 날까지
우주 같은 마음으로 떠다닐 테지요.

그대와 헤어진 것이 아닙니다.
꽃 지는 날만이 외로운 것은 아니고요.
그대의 뒷모습만 바라보기 힘듭니다.
나날이 그대만을 기다립니다.

장 미

장 준 기

당신들은 내 눈물을 흘리게 하고 나를 뜨거워지게 만들고 있다.

그럼에도 버텨가고 있는 이유는

웃고 있는 당신들도 있기 때문이지 않을까.

나에게 상처를 주고 아픔도 주는 당신들이지만,

장미를 내 가슴에 심어주는 당신들이기 때문에

나는 오늘도 감사와 버텨나가는 마음으로 살아가고 있다.

당신들은 나에게 아픔과 상처를 주지만

동시에 나의 가슴에 장미를 심어줍니다.

그렇기에 나는 오늘도 장미를 떠올리며 버텨나가고 있습니다.

젊은 날의 회상

전 지 현

바쁜 일상 속에서 잊고 있었던 젊은 날들을 회상해본다.

엄마의 정성과 사랑이 담긴 집밥,
함께 웃었던 친구들과의 시간들

세월의 흐름에 맞춰 모든 게 변해 갔지만,
우리 인생의 보물이 되어 남아있는 따뜻한 추억들

그 추억들은 희망의 불씨가 되어 미래를 향해 나아갈 수 있는
기회가 된다.

삼 백 초 [15]

정 이 현

행복이 핀다.
내 마음엔 열쇠가 있다.
잠겨 있던 행복의 문을 연다.

미래, 인공지능은 나의 행복이 되었다.

인공지능, 나의 행복
우주로 가는 길, 나의 설렘

순간의 행복의
이토록 오래 생각한다.
행복의 열쇠는 나에게 있다.

---

15 이경선 시인의 「봄 꽃」을 참고한 모방시.

행 복 의 문

조 수 빈

우리가 깨끗하고 한결같은
마음을 가지고 있다 보면
우리의 삶에 있는 행복의 문을
열 수 있는 행복의 열쇠가 나타난다.
행복의 열쇠를 가지고
행복의 문을 열게 되면
우리의 사랑을 되찾을 수 있다.

그 와 함 께 봤 던 벌 개 미 취

진 선 우

그와 함께 봤던 벌개미취
나를 두고 가실 때
나와 함께 봤던 그 꽃.
그 꽃을 보며 너를 잊지 않으리.
나는 계속 이 황폐한 사막에서
바라만 보고 있으리라.

나를 두고 가실 때
같이 봤던 그 꽃
노란 비가 내려도
그 꽃만 보며 기다리라.
그 꽃들이 다 바람에 날아가고
오염된 태풍이 와서 꽃이 시들어도
너를 잊지 않고 너를 기다린다.

꽃 [16]

최 길 우

새로운 꽃이 피었다.
수십 년 동안 보지 못한 새로운 모습의 꽃
얼마나 많은 변화가 있었을까?

이 꽃은 얼마나
큰 고통이 있었을까?

스스로 살아가기 위해
자신을 바꾼 꽃
향수 같은 냄새를 내 뿜는다.

꽃을 이렇게 만든 나
나 자신을 되돌아보며 반성하게 한다.

---

16 원명자 시인의 「꽃」을 참고한 모방시.